Ingeborg Gerlach

Auf der Suche nach der verlorenen Identität

Monographien
Literaturwissenschaft 47

DATE DUE FOR RETURN

**This book may be recalled
before the above date**

90014

Ingeborg Gerlach

Auf der Suche
nach der verlorenen Identität

Studien zu Uwe Johnsons „Jahrestagen"

Scriptor
1980

327061

CIP–Kurztitelaufnahme der Deutschen Bibliothek

Gerlach,Ingeborg:
Auf der Suche nach der verlorenen Identität :
Studien zu Uwe Johnsons „Jahrestagen" / Ingeborg
Gerlach. – Königstein/Ts. : Scriptor, 1980. –
(Monographien : Literaturwissenschaft ; Bd.
47)
ISBN 3-589-20736-1

© 1980 Scriptor Verlag GmbH
Wissenschaftliche Veröffentlichungen
Königstein/Ts.
Druck und Bindung: Decker & Wilhelm, Heusenstamm
Printed in Germany
ISBN 3-589-20736-1

Inhaltsverzeichnis   Seite

Vorwort

"Die Geburtskammer des Romans ist das
Individuum in seiner Einsamkeit, das
sich über seine wichtigsten Anliegen
nicht mehr exemplarisch auszusprechen
vermag, unberaten ist und keinen Rat
geben kann. Mitten in der Fülle des
Lebens und durch die Darstellung dieser Fülle bekundet der Roman die tiefste Ratlosigkeit des Lebenden."[1]
(Walter Benjamin: Der Erzähler)

"Ein Roman ist keine revolutionäre Waffe. Er bringt nicht unmittelbare politische Wirkung hervor."

So Uwe Johnson in einer Darlegung seiner Roman-"Theorie"[2].
Deshalb weist er kategorisch zurück, daß der Roman eine "Botschaft" zu verkünden habe:

"Eine Geschichte ist aber etwas, was erzählt worden ist, keine Botschaft. Wenn das eine Botschaft wäre, dann wäre es Aufgabe des Lesers, aus seiner Reaktion auf diese Geschichte
sich eine zu machen, sich eine zu finden, eine herzustellen.
Von mir kommt sie nicht, von mir kommt nur die Geschichte."3)

Ausdrücklich verwiesen wird hierbei auf die Rolle des Lesers:
Er soll die Geschichte nicht nur konsumieren, sondern darüber
nachdenken, inwiefern sie ihn selbst angeht. Im gleichen Zusammenhang formuliert Johnson die erwartete Reaktion des Lesers
auf seine Geschichten noch deutlicher:

"Ja, so wie es da geschrieben steht, so ist es, so leben wir.
Aber wollen wir so leben?" 4)

In den "Jahrestagen" beschreibt Johnson eine Version der Wirklichkeit, die, wie er selbst erklärt, nicht den Anspruch auf

---

1) Zitiert nach: Romantheorie. Dokumentation ihrer Geschichte
   seit 1880. Hrsg.v.E.Lämmert u.a. Köln 1975 (S. 252-257).
2) Uwe Johnson: Vorschläge zur Prüfung eines Romans. In: Romantheorie, a.a.O., S. 402 (Im folgenden zitiert als

"Realismus" im Sinne einer Widerspiegelungstheorie erhebt.[1])
Entworfen wird vielmehr eine Welt, die geeignet sein soll,
den Blick für die Realität der jeweils eigenen zu schärfen.
Das Thema dieser "Chronik"[2]) ist die Geschichte unseres Jahrhunderts, wahrgenommen aus der Perspektive eines Individuums,
das hier seine eigene Geschichte und Vorgeschichte, sein eigenes Gewordensein registriert und sich selbst bewußt zu machen
sucht.

Der Untertitel "Aus dem Leben von Gesine Cresspahl" ist, wie
die Literaturwissenschaft schon seit längerem konstatiert
hat,[3]) sowohl als Genitivus subjectivus wie auch als Genitivus
objectivus zu betrachten: Gesine Cresspahl, Protagonistin und
Erzählerin zugleich, macht sich selbst, ihre Gegenwart, Vergangenheit und Vorvergangenheit zum Thema ihres Berichts. Eine Interpretation der "Jahrestage" muß sich daher einerseits
mit dem Subjekt der Erzählerin, andererseits mit der von ihr
erzählten "Geschichte" befassen.

Im folgenden werden zunächst die Lebensbedingungen des Individuums Gesine Cresspahl näher betrachtet. Im Mittelpunkt steht
der Verlust ihrer Identität; zwar stellt er ein psychisches
Phänomen dar, aber seine Ursachen liegen im politisch-gesell-
schaftlichen Bereich. Gefragt wird, wie es zu diesem Identi-
tätsverlust kam und wie sie seither in bewußter Distanz zu

----

noch Fußnote 2) v. S. 1
    "Johnson, "Vorschläge")
3) Manfred Durzak: "Dieser langsame Weg zu einer größeren Ge-
    nauigkeit". In: M.D.: Gespräche über den Roman. Formbestim-
    mung und Analysen. Frankfurt/M. 1976, S. 430 (im folgenden
    zitiert als "Durzak, Gespräche").
4) Durzak, Gespräche, a.a.O., S. 431.

----

1) Vgl. Johnson, "Vorschläge", a.a.O., S. 402f.
2) Als "Chronik" hat Johnson selbst die "Jahrestage" bezeich-
    net, z.B. als Erläuterung zu seinem Vorabdruck "Als Gesine
    Cresspahl ein Waisenkind war", (Merkur, Okt. 1974,
    S. 941 - 950).
3) Die Unterscheidung nach Genitivus subjectivus und Geniti-
    vus objectivus findet sich zuerst bei Manfred Durzak:

sich selbst und ihrer Umgebung (im engeren wie im weiteren
Sinn) lebt. Der Prager Sozialismus des Jahres 1968 erscheint
als ferne Hoffnung, daß sie sich selbst "wahr machen"[1] und
dadurch zu einer neuen Identität finden kann.

Im Sinne eines Genitivus subjectivus, als welcher der Untertitel gleichfalls fungiert, soll dann die von Gesine beschriebene Welt analysiert werden. Es ist die Welt, mit der das Individuum nicht zur Übereinstimmung gelangen kann; die Welt der
politischen Systeme, die den einzelnen zu vereinnahmen drohen:
Während im Faschismus und Stalinismus ein "wahres" Leben a
priori unmöglich erscheint, bietet der liberale Kapitalismus
mehr Spielraum, erweist sich letztlich aber auch als menschen-
mordendes und -verachtendes System. Gesines Hoffnung richtet
sich daher auf einen menschlichen Sozialismus, der gutzumachen
verspricht, was der Stalinismus zerstört hat.
Johnson beschreibt die Versuche von Individuen, zu leben,
sich zu arrangieren - oder sich zur Wehr zu setzen, wobei die
Möglichkeiten konkreten Handelns immer geringer werden. Gesine
kann keinen Ansatzpunkt mehr zum Handeln finden, obwohl sie
sich durch den "Auftrag"[2] der Toten zum Handeln verpflichtet
fühlt. Wenn Gesine untätig bleibt (und sich damit zu Depres-
sion und Selbstvorwürfen verdammt), dann soll dies weniger
als Symptom für Gesines Seelenzustand gewertet werden, vielmehr als Indiz für gesellschaftliche Verhältnisse, die das
aktive und solidarische Handeln immer mehr erschweren.
Hier setzt der erwähnte Verweis auf den Leser ein: Nur durch
seine aktive Rezeption kann aus der Geschichte eine Botschaft

----

noch Fußnote 3) v. S. 2
    Wirklichkeitserkundung und Utopie. Die Romane Uwe Johnsons."
    In: M.D.: Der deutsche Roman der Gegenwart. 2. Aufl.,
    Stuttgart 1973, S. 194 - 269 (Zitat S. 255); im folgenden
    zitiert als Durzak, Der deutsche Roman."

----

1) Vgl. S. 1025 (Seitenzahlen ohne weitere Angaben beziehen
    sich im folgenden auf: Uwe Johnson; Jahrestage. Aus dem Le-
    ben von Gesine Cresspahl. Bd.1-3,Frankfurt/M. 1971ff.)
2) S. 582.

für ihn werden. Noch weit über Brechts "offene Schlüsse" hinausgehend, wird hier die Mitarbeit des Lesers verlangt. Im Gegensatz zu Brechts pädagogisch motiviertem Verfahren, den Leser selbst die vom Stück implizit vorgezeichnete Lösung finden zu lassen, ist hier der Autor genau so ratlos wie seine Protagonistin.[1] So dringlich das Werk nach einer Konsequenz verlangt, so wenig kann es sie dem Leser bieten. Keine konkrete Alternative ist in Sicht. Weitaus radikaler als bei Brecht sieht sich der Leser bei Johnson auf sich selbst zurückverwiesen: Wie könnte man anders leben, und wie wäre dies unter den gegebenen Verhältnissen zu verwirklichen?

---

1) Im Sinne des als Motto zitierten Satzes von Walter Benjamin.

I. Individuum und Gesellschaft

1) Bewußtsein

"Jahrestage" - ein Jahr aus dem Leben der Gesine Cresspahl,
vom 20. August 1967 (ihrem letzten Urlaubstag) bis zum gleichen
Tag des darauffolgenden Jahres: Berufsalltag einer kleinen
Bankangestellten, des immer komplizierter werden Zusammenle-
bens mit der halbwüchsigen Tochter Marie, Ausflüge, eine lust-
lose Liebesgeschichte mit ihrem Landsmann Professor Erikson
(jetzt hochdotierter Verteidigungsexperte der NATO), vor allem aber Gesines "Jerichow"-Erzählungen aus der Zeit, "als
Großmutter den Großvater nahm"[1]. Auf den ersten Blick eine
tranche de vie, das Leben eines Durchschnittsmenschen in der
Mitte des zwanzigsten Jahrhunderts. Beliebig scheint das An-
fangsdatum gewählt; daß genau nach Jahr und Tag der Einmarsch
der Truppen des Warschauer Pakts in die CSSR erfolgt - ein
Faktum, das Gesines politische Hoffnungen zunichte macht -,
das wäre dann nichts weiter als ein vom Autor geschickt zu-
nutze gemachter Zufall.[2]

Ein Jahr in New York: U-Bahn-Fahrten, Einkäufe, Demonstrationen, Rassenunruhen, die Ermordung Martin Luther Kings und Robert Kennedys. Was Gesine nicht unmittelbar erlebt (und ihre
Möglichkeiten unmittelbarer Erfahrung sind relativ begrenzt),
entnimmt sie der New York Times. Sie liest vom Vietnam-Krieg,
von der Mafia, von Rassendiskriminierung und von der Brutali-
sierung des alltäglichen Lebens, paraphiert und kommentiert
diese Meldungen ausführlich, bisweilen zitiert sie sogar

----
1) S. 143.
2) Vgl. dazu das Interview des Autors mit Dieter E. Zimmer
("Die Zeit" v. 26.11.71). Jedoch weisen bereits Johnsons
frühere Romane eine Vermischung "privater" und politischer
Ereignisse auf: Der Ungarn-Aufstand steht im Zentrum der
"Mutmaßungen über Jakob", während "Zwei Ansichten" die Konsequenzen des Mauerbaus zum Thema haben.

seitenweise wortwörtlich aus der Zeitung.

Man hat gegen den Roman den Vorwurf erhoben, er versuche durch
das Montieren von "kompakten Materialzitaten" in das epische
Geschehen einzubringen, was den individuellen Erfahrungshori-
zont der Protagonistin übersteige. Diese montierten Passagen
seien keineswegs in das Bewußtsein der Gesine Cresspahl integriert, sondern verhielten sich konträr zu diesem; sie dien-
ten lediglich dazu, das zu leisten, was der Roman des 19. Jahrhunderts als epische Totalität bezeichne.[1] Demgegenüber verweist Johnson darauf, daß er alles, was er referiere, "in das
Subjekt hineingenommen" habe; wenn Gesine wortwörtlich aus der
Zeitung zitiere, dann weise die Passage eben ihr jeweiliges "Bewußtsein des Tages"[2] aus. Daß Gesines Bewußtsein der "Inhalt"
seines Romanes sei, hat der Autor nachdrücklich betont.[3]

In der Tat geht es Johnson nicht um "Vollständigkeit" im Sinne
einer epischen Totalität. Nicht das "Faszinosum "New York (re-
spektive Manhattan[4]) soll literarisch bewältigt werden; sondern nur, was Gesine davon direkt oder indirekt wahrnehmen
kann und will. Daß der zweite Weg, der über die Medien, überwiegt, hängt mit der Tatsache zusammen, daß die für Gesine re-
levanten politischen Ereignisse (Vietnam-Krieg, Rassendiskriminierung, Mafia usw.) hinter der Fassade des scheinbar "normalen" Alltagslebens verborgen bleiben und damit der unmittelbaren Erfahrung kaum zugänglich sind. Gesine, durch Berufstä-
tigkeit und selbstgewählte gesellschaftliche Isolation vom
"Leben" ohnehin abgeschnitten, entnimmt die für sie bedeutsa-
men Informationen der Presse; deren extensive Lektüre scheint

---

1) Vgl. Durzak,"Gespräche"a.a.O., S. 473ff.
2) Interview mit Zimmer, a.a.O.
3) Vgl. Durzak,"Gespräche", a.a.O., S. 447.
4) Vgl. Sigrid Bauschingers Essay "Mythos Manhattan . Faszination einer Stadt". In: Amerika in der deutschen Literatur,
   hrsg. von Sigrid Bauschinger u.a. Stuttgart 1973, S. 382-
   397. S. Bauschinger konstatiert die "Farblosigkeit" von
   Johnsons Amerika-Bild: Es fehle das typische Afro-Amerika-
   nische, das "Dionysische", Rauschhafte; Gesine bleibe stets

den größten Teil ihrer Freizeit einzunehmen. Was sie auf diese Weise rezipiert, geht in ihr Denken ein, konstituiert ihr
"Bewußtsein des Tages". Sie trifft die Auswahl bei der Lektüre. (Auch insofern läßt sich sagen, daß Vollständigkeit nicht
intendiert wird.) Obstinat und oft zum Ermüden des Lesers verfolgt sie alle Nachrichten, die sich auf Krieg, Verbrechen, Gewalt und Unrecht beziehen. Während ihr alltägliches Leben mehr
oder weniger banal verläuft, liest sie in der New York Times,
was "wirklich" geschieht. Die beißende Ironie, mit der sie die
Fakten kommentiert, verrät ihr Engagement.

In der Tat drängt dieser Roman zur außerliterarischen Realität
und bezieht diese so weit wie möglich in sich ein. Dies gilt
insbesondere für die Passagen der Gegenwartsebene, während
sich die Erzählung im Bereich der Vergangenheitsebene lediglich bemüht, die historische Treue nicht zu verletzen. In der
erzählerischen Gegenwart wird Buch geführt über die Ereignisse
des Tages, vor allem die politischen, die die Angestellte
Cresspahl nach Feierabend der Zeitung entnimmt. Wenn sich
auch der Autor der Grenzen zwischen dokumentarischer und fik-
tionaler Literatur bewußt ist, so zwingt ihn doch sein Bedürfnis nach historischer Legitimation, seinen Roman nicht in
reiner Unverbindlichkeit, sondern in einer räumlich wie zeitlich genau lokalisierbaren Landschaft anzusiedeln. Glaubhaft
werden kann dieser Roman nur, wenn der Leser auf zwar individuell vermittelte, jedoch gesellschaftlich bedingte Probleme
den Finger legen kann. Daher die Integration politischer Materialien, die nicht Staffage, sondern unmittelbarer Gegenstand der Handlung sind. Das Politische greift in den privaten
Bereich ein: Primär ist der Vietnam-Krieg; ob Gesine sich für
ihren Liebhaber D.E. entscheidet oder ihm den Laufpaß gibt,
ist eher Funktion des politischen Geschehens, also sekundär.

----
noch Fußnote 4) v.S. 6
    in rational-kritischer Distanz. Die Autorin bringt diesen
    Sachverhalt in Zusammenhang mit Gesines "Asexualität", mit
    der Tatsache, daß alle Tiefenschichten im Roman ausgespart
    bleiben.

Die Person der Protagonistin - und dies ist eine wesentliche
Voraussetzung des Romans - ist so beschaffen, daß sie sich mit
den politischen Primärereignissen bewußt auseinandersetzt und
Persönliches darüber zurücktreten läßt.[1]

Man hat gegen die New-York-Passagen den Vorwurf erhoben, daß
sie keine durchgängige Handlung aufwiesen und somit nur als
Kulisse für die "spannenden" Jerichow-Passagen fungierten.[2]
Auf den ersten Blick scheint dies zuzutreffen: Handlungsarme,
detailreiche Beschreibungen erwecken den Eindruck von Stagnation; jeden Tag dasselbe Einerlei, an dem sich aller Voraus-
sicht nach kaum je etwas ändern wird. Die zeitlich stärker
gerafften, daher handlungsreicheren Erzählungen aus der mecklenburgischen Vergangenheit erwecken demgegenüber die Aufmerksamkeit des Lesers. Übersehen wird dabei der latente Exposi-
tionscharakter der Anfangspassagen, die den Leser mit Gesines
derzeitigen Lebensgewohnheiten vertraut machen sollen. Allein
aus dem Rückblick wird deutlich, daß bereits am Anfang, in
den ersten Wochen nach Gesines Heimkehr aus dem Urlaub eine
doppelte Entwicklung einsetzt, die im weiteren Verlauf fast
unübersehbare Konsequenzen zeitigt: Der allmächtige Vizedirek-
tor de Rosny ist auf die kleine Fremdsprachensekretärin aufmerksam geworden und hegt Prager Pläne für sie, während Gesines Gedanken sich gleichfalls in Richtung Prag, aber unter
umgekehrtem politischen Vorzeichen, bewegen[3].
Demgegenüber bleiben die von Jerichow handelnden Erzählab-
schnitte von sekundärer Bedeutung, auch wenn sie die Aufmerksamkeit des Lesers zunächst viel stärker auf sich ziehen als
diejenigen, die in New York spielen. Gesine erzählt sie
- scheinbar - ihrer Tochter (manchmal auch ihrem Verehrer
Erikson); doch abgesehen von der psychologischen Unwahrschein-
lichkeit eines sich so lange hinziehenden Erzählens ist zu

-----

1) Über die Hintergründe dieser speziellen Disposition vgl.
   das Kapitel "Das Schlüsselereignis".
2) Bauschinger, a.a.O., S. 391.
3) Vgl. das Kapitel "Umschwung".

bemerken, daß Gesine zu "erzählen" beginnt, noch ehe Marie
aus dem Ferienlager zurückgekehrt ist. Manches erspart Gesine
den Ohren ihrer Tochter; sie spinnt es offensichtlich für sich
selber aus. Im Fieber einer schweren Krankheit "erzählt" sie
auf diese Weise vom Tod ihrer Mutter. Das scheinbar disparate
Werk stellt nach der Intention des Autors eine Einheit dar:
Gesines Bewußtsein erweist sich als sein Zentrum. Hier werden
die massiven Faktenblöcke aus dem New Yorker Alltag rezpiert,
hier kongruieren die beiden Handlungsebenen. Gesines Bewußtsein
erweist sich als konstitutives Moment des Romans und zugleich
als dessen Inhalt.[1]

Gegen Johnsons Verfahren ließe sich der Einwand erheben, daß
für eine solche Thematik eher der Joycesche stream of
consciousness, der unwillkürlich-assoziierende Monolog der er-
lebten Rede geeignet gewesen sei. In der Tat: Was als Inhalt
von Gesines Bewußtsein gilt, nimmt sich sehr wohlgeordnet aus;
die Chronologie wird in den Jerichow-Passagen streng eingehal-
ten, die Syntax bleibt korrekt (wenn man von einigen Szenen
höchster Emotionalität absieht). Mehr noch: Gesine trennt
strikt zwischen den beiden Ebenen, und nur selten erlaubt sie
sich ein assoziierendes Abschweifen aus der Gegenwart in die
Vergangenheit[2]. Ein Jahr lang registriert sie bewußt, was
geschieht, was sie denkt, was sie erzählt. In gewisser Weise
ließen sich die "Jahrestage" als "Gedankenprotokolle" bezeich-
nen. Genauer gesagt: Protokolle von Gesines bewußten Gedanken,
von ihrem "zensierten" Bewußtsein. Denn aufgenommen wird nicht
der Strom des Halb- und Unbewußten, sondern nur das, was Gesine für überliefernswert erachtet.

----

1) Dazu Johnson: "Die Basis ist das Bewußtsein dieser Person,
   das dieses alles enthält, nebeneinander und nicht sehr
   streng geordnet." (Interview mit Zimmer, a.a.O.).
2) Planvoll ereignet sich eine solche Vermischung der Ebenen
   in den Anfangspassagen der drei bisher erschienen Bände,
   unplanmässig in Zuständen höchster Erregung (vgl. das Kapitel "Das Unbewußte").

Aber obgleich Gesine alles, was sie in die "Jahrestage" auf-
nimmt, aus persönlicher Sicht betrachtet, so fehlt dem Roman
die betonte Subjektivität, wie sie etwa das Tagebuch besitzt.
Gesine vermeidet es nicht nur, ihre intimen Probleme in den
Vordergrund zu rücken, sie engagiert sich eher für Fremdes,
scheinbar Fernliegendes, für Fragen der Ethik und Politik.
Wenn es auch das Individuum Gesine Cresspahl ist, das hier
eine bewußte Auswahl der zu referierenden Fakten trifft,
so bleibt doch die Distanz unverkennbar, die zwischen ihr und
ihrem Gegenstand liegt. Daß sie selbst oft genug von sich
in der dritten Person spricht, liegt auf dieser Linie.[1] Das
Kind Gesine, von dem sie ihrer Tochter berichtet, ist "das
Kind, das ich war." Aber auch mit der Person, die in der Bank
die Geschäfte de Rosnys besorgt, scheint sie sich nur partiell
zu identifizieren: Mit dem Blick des kritischen Beobachters
registriert und kommentiert sie deren Verhalten.[2]
Offensichtlich ist es diese Distanziertheit, die es ihr erlaubt, den "Genossen Schriftsteller" für ihre Zwecke einzu-
schalten. Ob er es ist, der - in ihrem Auftrag - in der dritten Person über sie schreibt, ihr Äußeres schildert oder gelegentlich Kenntnisse einfließen läßt, die Gesine nicht besitzt; oder ob sie selbst ihre Gedanken und Gefühle in der
ersten Person referiert, bedeutet nur einen graduellen, keinen
prinzipiellen Unterschied.

Bewußt für die "Nachwelt", d.h. für die Tochter Marie, formuliert sind die Tonbänder, in denen Gesine "für später" Auf-
schluß gibt über ihr Denken und die Beweggründe ihres Handelns.
Hier spricht Gesine spontan, manchmal ungeordnet (was sie
selbst offensichtlich stört, da sie es mehrfach tadelt), und
hier vermischt sie assoziativ die beiden Ebenen. Die Tonbänder haben ihren Stellenwert innerhalb des Romans; sie sind

---

1) Vgl. dazu das Kapitel "Der Genosse Schriftsteller".
2) Sie spricht von sich selbst als "der (Angestellten)
   Cresspahl" (z.B. S. 776).

keine Gattung sui generis. Vielmehr erlauben sie Rückschlüsse auf den Charakter der anderen Gedankenprotokolle, denen sie - als Grenzfall - zuzuordnen sind.

Die einzelnen Protokolle erweisen sich als ein mixtum compositum von Tagebuch (bewußt formuliert und niedergeschrieben) und unwillkürlichen Gedankengängen (ungeordnet, assoziativ, nicht niedergeschrieben): eine Mischform, eigens für die Zwecke dieses Romans geschaffen, wobei bisweilen der Typus "Tagebuch", bisweilen der Typus "Gedankenassoziation" dominiert. Diese Form ist nicht ganz frei von Künstlichkeit; vor allem ist die Frage des Zwecks nicht geklärt. Denn während Tagebuchschreiben auf einen bewußten Entschluß zurückzuführen ist und dem Zweck der Selbstverständigung dient, setzt der - schriftlich nicht fixierte - Gedanke keine solche Zielsetzung voraus. Gesine als "Urheberin" hätte am letzten Tag ihres Urlaubs sich zum Tagebuchschreiben entschließen können. Ein solcher Entschluß, obwohl er offensichtlich vorliegt, wird nirgends thematisiert, nirgends reflektiert. Andererseits sind ihre Gedanken und Beobachtungen oft "nachträglich" ausgesprochen; sie sollen die Fiktion aufrechterhalten, daß Gesine abends die für sie wichtigsten Ereignisse des Tages notiert.

Obgleich Gesine auf den Subjektivismus des Ich-Erzählers (und oft auch auf die erste Person Singular) verzichtet, so vermeidet sie doch auch die "personale" Erzählweise[1], die den Anschein unmittelbar gegenwärtigen Geschehens erwecken will. Es bleibt bei der bereits erwähnten Distanz, die Gesine auch und vor allem gegen sich selbst und ihre eigenen Probleme deutlich werden läßt.

Lassen sich bereits die "Gedankenprotokolle" auf der Gegenwartsebene gleichsam nur ex negativo klassifizieren, so wirft

----

1) Im Sinn der Terminologie von F. Stanzel: Typische Formen des Romans, 8. Aufl., Göttingen 1964.

die Kombination beider Erzählebenen weitaus kompliziertere
Definitionsprobleme auf. Daß beide demselben Impetus entstammen, darf vermutet werden, da sie fast gleichzeitig einsetzen.
Während Gesine am letzten Tag ihres Urlaubs - wohl in der Erinnerung an die heimische Ostsee - sich assoziativ den aufsteigenden Erinnerungen überläßt (hier wird bisweilen eine Annäherung an den "stream of consciousness" spürbar), trennt sie nach
der Rückkehr die Jerichow-Partien ab und beginnt diesen
scheinbar selbständigen Erzählstrang, der von nun an neben
den Passagen auf der Gegenwartsebene herläuft.

Offensichtlich will Gesine sich selbst Klarheit verschaffen
über ihre Situation - wobei ihr die "Parallelen" aus der Vergangenheit nützliche Dienste leisten -, jedoch will sie sich
ebenso ihrer Herkunft versichern:[1] d.h., wissen, wie sie zu
dem wurde, was sie heute ist. Gesine, in der Fremde lebend,
konstatiert nicht nur den Verlust der Heimat, sondern zugleich
die Tatsache, daß dieses mecklenburgische Städtchen für sie
niemals hat Sicherheit, Geborgenheit bedeuten können; daß von
Anfang an der Schatten von Gewalt und Verbrechen darüber lag.
So potenziert sich die Entfremdung, die Gesine im alltäglichen Leben der Gegenwart empfindet: Auch die Rückerinnerung
an die Vergangenheit kann ihr die Identität nicht wiedergeben.
Der Schock[2], den die Halbwüchsige unmittelbar nach Kriegsende erlitt, der sie aus ihrer selbstverständlichen Identität
mit sich selbst, ihrer Familie, ihrer Nation herausriß, wirkt
in New York nach: Noch immer ist Gesine bestrebt, hinter die
Kulissen zu schauen, wo immer das Gefühl der Vertrautheit,
der fraglosen Identität aufzukommen scheint. Gesine kann und
will in New York nicht Wurzeln schlagen, so sehr sie auch
ihrem Kind eine neue Heimat wünscht. Sie vermeidet die
Selbsttäuschung: Ihre täglichen Berichte dienen wohl eher

----

1) Vgl. das Interview mit Zimmer (a.a.O.): "Gesine Cresspahl
   versucht sich selbst wiederzufinden, ihre Eltern, ihre
   Landschaft, ihre Sprache."
2) Vgl. das Kapitel "Das Schlüsselereignis".

dazu, sich selbst die beklemmende Realität der amerikanischen
Gesellschaft vor Augen zu führen. Illusionen der Vergangenheit
werden zerstört, wobei Gesine auch ihre nächsten Angehörigen
nicht schont. Ob ihrem Erzählen therapeutische Funktion zu-
kommt, ist schwer zu ermessen. Zumindest deutet die Hartnäckig-
keit, mit der sie das Thema "Jerichow" behandelt, auf eine
traumatische Fixierung hin. Da aber ihr Erzählen keinesfalls
anamnetischen Charakter trägt, insofern das eigene Ich, wenn
überhaupt, lediglich par distance erwähnt wird, ist eine Los-
lösung von "Jerichow" durch das bloße Erzählen kaum zu erwarten.[1]

Es bleibt beim Rechenschaftsbericht: So war es, so ist es, so
lebt man im Schatten der Gewalt, so versucht das Individuum
inmitten des allgemeinen Unrechts seine Integrität zu wahren,
und so muß es seine Verletzung und Deformation konstatieren.
Im Verlauf des Romans werden latente Parallelen zwischen der
Vergangenheit und der Gegenwart sichtbar:[2] Gesine lebt in einem
Land, das seinen eigenen demokratischen Ansprüchen längst
nicht mehr genügen kann. Zwar ist die direkte Gleichsetzung
von deutschem Faschismus und amerikanischem Spätkapitalismus
verfehlt[3], doch Rassismus und Gewalt sowie der ständige Zwang
zur Anpassung sind beiden Systemen gemeinsam. Wenn Gesine
gegen ihren Vater Vorwürfe erhebt, weil er nicht mit seiner
Familie in England geblieben ist, sondern nach Nazi-Deutsch-
land zurückkehrte, trifft dieser Vorwurf sie selbst, weil sie
ihr Kind in einer vergifteten Atmosphäre von ganzen und halben
Lügen aufwachsen läßt. So betrachtet, erweisen sich die
Jerichow-Erzählungen als Mittel der Selbsterkenntnis: Im Spie-
gel des fremden Lebens erscheint die Wahrheit des eigenen. Sie
sieht deutlicher, was sie sich bisher nicht einzugestehen

---

1) Vgl. dazu das Kapitel "Jerichow".
2) Vgl. das Kapitel "Schuld".
3) Vgl. das Interview mit Zimmer (a.a.O.): "Ich würde zum
   Beispiel von einem amerikanischen Faschismus nicht sprechen.
   Das Wort weist auf die historische Gebundenheit des Phäno-
   mens, das sich so nicht wiederholen wird."

wagte: New York, wo ihr Kind eine Heimat gefunden hat, ist
kein Ort zum Leben. Diese Konsequenz trifft sich mit den bereits erwähnten Handlungselementen der New York-Ebene und
löst in ihr den Entschluß aus, es noch einmal mit dem Sozialismus zu versuchen."[1]

---

1) Vgl. das Kapitel "Umschwung".

2) "Wer erzählt hier eigentlich?"

Wenn auch Gesine, die Erzählerin der mecklenburgischen Geschichten, als handelndes und reflektierendes Subjekt der
New-Yorker Gegenwart fungiert, so tritt sie doch in dieser
Rolle nicht immer unmittelbar in Erscheinung. Daß es ihre Gegenwart, ihre Geschichte oder Vorgeschichte ist, die sie hier
erzählt, wird vielfach durch Formen des indirekten Erzählens
verhüllt.
Aus der Beschreibung der anrauschenden, aufklatschenden Wellen des Atlantiks am ersten Tag[1] schält sich erst allmählich
eine Person heraus, der diese Wahrnehmungen zugeordnet werden, die nach und nach mit Attributen versehen wird und
schließlich einen Namen erhält: Mrs. Cresspahl. Berichtet wird
von ihr in der dritten Person Singular, vielfach in Form der er-
lebten Rede:

"Sie ist nicht sicher, ob Juden vor 1933 noch mieten durften
in dem Fischerdorf vor Jerichow, sie kann sich nicht erinnern
an ein Verbotsschild aus den Jahren danach "2),

zum Teil eher distanziert, aus der Sicht eines noch unsicht-
baren Erzählers. Auch Gesine selbst kommt unmittelbar zu Wort,
genauer gesagt, die Stimmen, die sie als Erinnerung mit sich
trägt: Der zitierte Spottvers aus der Kinderzeit[3] ist Inhalt
ihres Bewußtseins. Dann kehrt der Bericht wieder in die drit-
te Person zurück.
Wenn auch Gesine im Mittelpunkt steht und wenn auch weitgehend
im personalen Erzählstil ihre Gedanken und Erinnerungen wieder-
gegeben werden, so schiebt sich doch bald der noch nicht näher
in Erscheinung getretene Erzähler zwischen sie und den Leser.
Er ist es, der am zweiten Tag eine von außen gesehene Beschreibung seiner Protagonistin abgibt ("Ich stelle mir vor: Unter
ihren Augen die winzigen Kerben waren heller als die gebräunte

----

1) S. 7.
2) Ebd.-Die erlebte Rede wird später strikt vermieden,desglei-
3) S. 8.   chen der personale Erzählstil (s.unten).

Gesichtshaut."[1], wobei das später noch einmal wiederholte
"Ich stelle mir vor" den fiktiven Charakter des Beschriebenen
hervorhebt und die Urheberschaft des Erzählers unterstreicht.

Daß dieses imaginierende Ich der "Genosse Schriftsteller" ist,
wird deutlich, wenn Gesine ihn erstmals direkt anredet: "Schreib
mir zehn Worte für mich, Genosse Schriftsteller".[2] Der Autor
Johnson tritt gleichsam als handelnde Person in den Roman ein.
Deutlicher noch als an der zitierten Stelle wird dieser Sachverhalt im Zusammenhang mit einem mißglückten Vortrag, den
Johnson – und zwar realiter – in New York hielt und von dem
er Mrs. Cresspahl berichten läßt. Hier spielt sich der viel-
zitierte Dialog ab:

"Wer erzählt hier eigentlich Gesine.
Wir beide. Das hörst du doch, Johnson".[3]

Nicht romantische Ironie ist es, die zu diesem erheiternden
Verwechselspiel zwischen Autor und Person führt. Vielmehr wird
hier die Ko-Autorenschaft beider genau umrissen.[4] Gesine"erzählt" von ihrer mecklenburgischen Vergangenheit, freilich
distanziert, was ihre eigene Person betrifft ("das Kind, das
ich war"[5]. Ihre Erfahrungen und Reflexionen auf der New-York-
Ebene läßt sie zum guten Teil vom "Genossen Schriftsteller"

---

1) S. 12.
2) S. 230.
3) S. 256.
4) In einem Interview (Durzak, Gespräche, a.a.O., S. 429) beschreibt Johnson seine Tätigkeit als "Auftragsarbeit" im
Dienst seiner Protagonistin. Diese Definition mag auf die
speziellen Produktionsbedingungen Johnsons zurückzuführen
sein. (Vgl. Reinhard Baumgart: Statt eines Nachworts: Johnsons Voraussetzungen. In: Über Uwe Johnson. Hrsg. von R.B.,
2. Aufl., Frankfurt/M. 1970, S. 165ff); ähnlich wie in den
theoretischen Äußerungen im Essay "Berliner Stadtbahn" beschreiben sie die selbst gewählte Beschränkung des modernen
Erzählerstandpunkts, die im Gegensatz zur "Allwissenheit"
eines Balzac steht. Wenn auch vielleicht literaturhistori-
sche Erwägungen im Hintergrund stehen, so überwiegen doch
die rezeptionssteuernden Momente: Wenn ein Autor sich selbst
in dieser Weise beschränkt, gewinnt er Raum für Leerstellen,
deren Ausfüllung dem Leser überlassen bleibt (vgl. das Kapitel "Intermittierendes Erzählen").
5) Vgl. das Kapitel "Jerichow".

berichten. Für sie bedeutet das: Sie kann, je nach Notwendigkeit, vom distanzierten Erzählen in der dritten Person Singular übergehen in die erste Person Plural oder gar, wenn Per-
sönlichstes im Spiel ist, in die erste Person Singular. Die jeweilige Abstufung zeigt den Grad der Emphase an, er erlaubt
eine Steigerung[1], die bei durchgängigem Erzählen in der Ich-
Form nicht möglich gewesen wäre.

Die recht häufig vertretene "Wir"-Form mag als Ausdruck der Zurückhaltung gedeutet werden, hinter der sich die verletzliche
Subjektivität verbirgt: "Danach können wir sie nicht fragen",
betont Gesine im Zusammenhang mit der KZ-Vergangenheit ihrer
Bekannten Mrs. Ferwalter[2]: Furcht vor dem, was sie zu hören
bekäme, hindert sie am Fragen und zwingt sie, sich selbst zu-
rückzunehmen in ein unpersönlicheres "Wir".

Ein umso stärkerer Akzent liegt dann auf dem "Ich", wenn Gesine von dieser Möglichkeit Gebrauch macht. Bezeichnenderweise
tauchen Pronomina der ersten Person Singular erstmals im Zusammenhang mit den Stimmen der Toten auf:
"Was fand Cresspahl an meiner Mutter?"[3] fragt sich Gesine.
Und nun beginnen die Toten direkt zu ihr zu sprechen:
"Ich war hübsch, Gesine"[4]
antwortet Lisbeth auf die Frage ihrer Tochter.

Evident ist die unmittelbare persönliche Betroffenheit, die
stets diesem "Ich" anhaftet. Die "Gedächtnis"-Passagen, in
denen sich Gesine mit dem Problem des Vergessens befaßt[5], das
für sie von größter Bedeutung ist, sind selbstverständlich in
der ersten Person Singular abgefaßt. Noch deutlicher zeigt
sich der demonstrative Charakter des "Ich", wenn mitten im

----

1) Vgl. das Kapitel "Komik".
2) S. 46ff.
3) S. 17.
4) S. 18.
5) S. 226ff.

Text die Person gewechselt wird: So im Zusammenhang mit Gesines erstem Besuch bei Professor Kreslil; sie sagt "wir", bis
bei ihr die angsterfüllte Erinnerung an ihren Aufenthalt im
nächtlichen Prag durchbricht[1]; in diesem Augenblick geht sie
zur ersten Person Singular über, die sie bis zum Schluß der
Passage beibehält ("in Prag hielt mich ein Fremder auf [...])[2].

Entsprechend vollzieht sich der Personenwechsel im Zusammenhang mit dem Film "Nacht und Nebel", den sie zusammen mit Bekannten ansieht:

"Mrs. Cresspahl hat nicht auf den Titel des Films geachtet.
Ich habe nicht auf den Titel des Films geachtet.
Es war "Nacht und Nebel", und noch einer.
Ich ging nach dem ersten aus dem Saal."[3]

Verzichtet man auf die vom Autor angebotene Hilfskonstruktion,
daß er von Gesine "Auftrag" habe zu schreiben, so wird deutlich, daß mit Hilfe des Personenwechsels (denn als solcher
manifestiert sich der Erzählerwechsel) unterschiedliche Gra-
de der Distanziertheit zum Ausdruck gebracht werden können.
Zwischen dem Erzählen in der dritten oder in der ersten Person (Singular oder Plural) besteht kein prinzipieller, nur
ein gradueller Unterschied. Gesine und Johnson erzählen vom
selben "point of view", aber je nach Nähe oder Ferne des Erzählens läßt sich die persönliche Betroffenheit differenzieren.
Der Autor, indem er auf die auktoriale Allwissenheit verzichtet, gewinnt Freiraum für Leerstellen. Gesine und Johnson
stehen in komplementärem Verhältnis zueinander, was sprachlich durch den Terminus "Genosse Schriftsteller" zum Ausdruck gebracht wird, der die Verbundenheit beider signalisiert:
Sie haben beide dieselbe geographische und politische Heimat,
und sie leben beide - geographisch wie politisch - im Exil.[4]

----
1) S. 302ff; (Vgl. auch das Kapitel "Das Unbewußte").
2) S. 304.
3) S. 851.
4) Ausdruck dieser Nähe sind die mehr oder minder "neckischen"
   Spiele, die beide miteinander treiben und die sich zwanglos einfügen in den Katalog der "anti-aristotelischen"
   Stilmittel (vgl. Teil III dieser Abhandlung): Wie Gesine
   vielfach auf den fiktiven Charakter ihres Erzählens

3) Die Verantwortung des Individuums

"Gestern hat ein Vertreter der Firma Dow Chemical vor Studenten in Washington Heights die Herstellung von Napalm und dessen Lieferung an die Armee verteidigt. Zunächst einmal hält
jener Dean Wakefield den Krieg in Viet Nam, 'im ganzen gesehen', nicht für ein moralisches Problem. Dow Chemical erfülle
einfach die Verantwortung gegenüber den nationalen Verpflich-
tungen einer demokratischen Gesellschaft (in Viet Nam).[...]
Haushaltsprodukte der Firma Dow Chemical kaufen wir schon lange nicht mehr. Aber sollen wir auch nicht mehr mit einer Eisenbahn fahren, da sie an den Transporten von Kriegsmaterial
verdient? Sollen wir nicht mehr mit den Fluggesellschaften
fliegen, die Kampftruppen nach Viet Nam bringen? Sollen wir
verzichten auf jeden Einkauf, weil er eine Steuer produziert,
von deren endgültiger Verwendung wir nichts wissen? Wo ist die
moralische Schweiz, in die wir emigrieren könnten?" 1)

Der nicht erklärte Krieg in Südostasien reicht bis tief in
das gesellschaftliche Leben der USA hinein. Die Wirtschaft
profitiert vom Krieg, und das Individuum, als Konsument auf
deren Produkte angewiesen, versucht vergeblich, sich aus diesem allgegenwärtigen Nexus herauszuhalten. Auf dem Weg über
die Ware, die es kauft, und die Steuer, die es entrichtet,
partizipiert auch in der modernen Massengesellschaft das Individuum an der allgemeinen Politik. Es gibt keine Position
der "Neutralität"; jeder Versuch, sich herauszuhalten, scheitert an den engen wirtschaftlichen und politischen

---

noch Fußnote 4) v. S. 18
   hinweist, trotzdem aber auf dessen "Wahrheit" insistiert,
   so fingiert Johnson ein (doppeltes) Aus-der-Rolle-Fallen,
   das den problematisch gewordenen Charakter des konventionellen Erzählens unterstreicht. Zu diesem "Spiel" zwischen
   Gesine und dem "Genossen Schriftsteller" gehört, wenn Gesine ihn (S. 1039) wegen seiner miserablen Übersetzung ihres "guten" Englisch tadelt oder wenn der "Genosse Schriftsteller" nicht schreiben soll, wie Marie auf die Unaufrich-
   tigkeit "ihres" Bürgermeister Lindsay reagierte (S. 1075),
   oder wenn der "Genosse Schriftsteller" Bedenken anmeldet
   gegen die von Gesine vorgeschlagene Charakterisierung Hilde Paepkes: Sie war "schön von (gestrichen)" (S. 838).

---

1) S. 382.

Verflechtungen der Industriegesellschaft. Selten ist der Systemcharakter gesellschaftlichen Unrechts so eindringlich dargelegt worden wie in den "Jahrestagen". Trotzdem insistiert Gesine auf ihrer quasi individuellen Verantwortlichkeit für dieses Unrecht. Was in den überschaubaren Verhältnissen der mecklenburgischen Landstadt noch denkbar erscheinen mochte: persönliche Moralvorstellungen, die auch den Bereich des gesellschaftlichen Lebens umfaßten — in der Anonymität der Millionenstadt wird dieses Schuldgefühl zur verzweifelten Selbstquälerei. Durch Nicht-Teilnahme, Boykott oder andere Formen der Verweigerung versucht Gesine das unausweichliche Schuldigwerden zu umgehen, wobei sie sich der Vergeblichkeit ihrer Anstrengungen bewußt ist. Indem Johnson sowohl auf der gesellschaftlichen Bedingtheit des Unrechts wie auch auf der persönlichen Verantwortung des Individuums beharrt, scheint er in die Quadratur des Zirkels zu geraten.

Gesine, der eine umfassende Verantwortlichkeit aufgebürdet wird, ist zwar "Individuum" im Sinne des neunzehnten Jahrhunderts, jedoch wird sie als ganz und gar "durchschnittlicher" Mensch gezeichnet. Die kleine Bankangestellte aus der Provinzstadt, die es nach New York verschlagen hat, unterscheidet sich nur unwesentlich vom statistischen Durchschnitt der Bevölkerung. Einzige spezifische Differenz ist ihr persönliches Moralempfinden: Das Individuum Gesine Cresspahl fühlt sich verantwortlich für das Unrecht, das "ihr" Staat, "ihre" Gesellschaft verübt. Ihre Individualität gründet in ihrer Fähigkeit zur Identifikation mit anderen: mit den Opfern des Systems einerseits, deren Leiden sie mitempfindet; mit den Tätern andererseits, von deren Schuld sie sich nicht zu distanzieren vermag. Konsequent hat der Autor das subjektive Bewußtsein seiner Protagonistin in den Mittelpunkt gerückt: In das Werk geht ein, was den Inhalt ihres Bewußtseins ausmacht. Gesines Erinnerungen, Reflexionen, Beobachtungen usw. bilden den Inhalt dieses Romans. Weil aber Gesine meist auf persönliche Empfindungen zugunsten des Allgemeinen verzichtet,

ist die Gefahr einer "Flucht in die Innerlichkeit" gebannt;
Gesine meidet die Introspektion und stellt statt dessen die
Analyse gesellschaftlicher Verhältnisse in den Mittelpunkt.

Damit ist Gesine als Grenzfall von Individualität zu betrachten: Sie erkennt zwar den Unrechtscharakter gesellschaftlicher
Systeme an, schiebt jedoch die individuelle Verantwortung für
ihre Person nicht beiseite, sondern versucht, durch die Übernahme persönlicher Verantwortung ihre Bedeutung als Individuum
zu wahren. Daß sie unter dieser Belastung auf die Dauer zerbrechen muß, liegt auf der Hand. Doch dieses Scheitern bedeutet ihre letzte individuelle Würde.

Gesine fühlt ihre individuelle Ohnmacht inmitten der Unrechts-
gesellschaft; sie sieht die Kompromisse, zu denen sie tagtäglich gezwungen ist; sie weiß, daß sie nur ein Rädchen ist
im Getriebe. Sie ist aufrichtig genug, ihre Grenzen zu erkennen. Sie tadelt sich selbst wegen ihrer Passivität, ihrer Unfähigkeit, über den eigenen Schatten zu springen. Jedoch hat
sie es sich zur Pflicht gemacht, Informationen zu sammeln:
Sie will nicht für dumm verkauft und hinters Licht geführt
werden; daß sie sich einmal als Kind täuschen ließ, genügt.
Daher ihre fast manisch zu nennende Zeitungslektüre. Durch
mühsame Interpolation entnimmt sie ihrem nicht immer zuver-
lässigen Informationsmaterial ein Maximum an Fakten. Dieses
Wissen verhilft ihr zu einer klar pointierten Meinung und
bewahrt sie vor kritikloser Anpassung. Sie weiß zumindest Bescheid, auch wenn sie nichts ändern kann. Ein Mensch in fast
totaler Verstrickung: total deshalb, weil die dominierende
Bewußtseinsindustrie nur wenig Raum läßt, das dem System
immanente Unrecht zu erkennen. Trotzdem bemüht sich Gesine,
ihre moralische Integrität zu wahren. Daß sie ihren kaum halt-
baren Balancezustand durchschaut, daß sie trotz praktischer
Undurchführbarkeit an ihren eigenen Prinzipien festhält und
Gewissensqualen für Inkonsequenzen auf sich nimmt, darin

liegt ihre moralische Größe[1].

In den "Jahrestagen" manifestiert sich der Wunsch dieses vielfach gefährdeten Individuums, seine Integrität und Identität
zu wahren, Gesine "schreibt", d.h., sie verfaßt ihre "Gedankenprotokolle", um sich selbst Klarheit über ihre Situation zu
verschaffen. Sie beobachtet und kombiniert, sie fängt in kleinen Mosaiksteinchen das Bild dieser komplexen Welt ein. Sie
registriert, was fast niemand sieht: die kleine Freundlichkeit,
die menschliche Geste - und zugleich auch den Verfall, das
Elend, die Verzweiflung. So entwirft sie das Bild einer Stadt,
individuell erlebt und zugleich als soziologische Fallstudie.
Hier liegt die Stärke des Buches: Das radikal Individuelle
transparent zu machen auf das zugrunde liegende Allgemeine.
Niemals wird ein Detail unter ein allgemeines Prinzip subsu-
miert; aber stets erscheint, durch minutiöse Beschreibung,
im Einzelnen dessen sozialer Gehalt.

Gesine erkennt den latenten Zwang, dem sie ausgesetzt ist. Sie
beobachtet ihre Verletzungen, verzeichnet ihre traumatischen
Reaktionen: Todesträume, Depressionen, unüberwindbares Bedürfnis nach Schweigsamkeit. Sie registriert diese Reaktionen, von denen sie weiß, daß sie in Tod und Zerstörung führen
und spricht den Wunsch aus, daß sie nicht so werden möge wie
ihre Mutter, die durch Selbstmord endete. Gesine verschweigt
viel, und sie macht kein Hehl daraus. Nicht nur Gründe der
Zurückhaltung sind es, die sie daran hindern, über tiefere
Schichten ihrer Person Auskunft zu geben. Vieles ist wider-
sprüchlich, läßt sich nicht auf den Begriff bringen. Das Individuum Gesine Cresspahl kennt die Risse und Spalten seiner
Identität, die ihm ein naives Einssein mit sich selbst ver-
bieten. Es sind politisch bedingte Traumata, und die Berührung
schmerzt noch immer.

----
1) "Es ist, was mir übriggeblieben ist: Bescheid zu lernen.
   Wenigstens mit Kenntnis zu leben". (S. 209f).

4) Schuld

Gesines Probleme gehören nicht allein der Gegenwart an. Die Geschichte ihres Vaters rekapitulierend, stößt sie auf Parallelen. Heinrich Cresspahl, Kunsttischler, mit Rücksicht auf seine Frau aus England zurückgekehrt, geriet ins Mecklenburg der Nazizeit. Er versuchte sich einzurichten in der neuen Umgebung, fand wenig Arbeit und noch weniger Entgegenkommen bei seinen Innungskollegen, die ihm seine Verwandtschaft mit den Papenbrocks verübelten.[1] Erst nachdem er dem vorlauten HJ-Bengel Klaus Böttcher einen Streich gespielt hatte, verlor er seinen Status als Außenseiter: man lud ihn ein zum Stammtisch der Tischler-Innung in Gneez, man gab ihm nützliche Ratschläge für den Umgang mit den neuen Machthabern. Aber auch finanzielle Konsequenzen hatte die Integration:

"Und sie sagten, so Ende 1934: Heinrich, du, es liegt was an. Wenn die Sache läuft, nehmn wir dich mit." [2]

Cresspahl, nicht ahnend, worauf "die Sache" hinauslaufen soll, findet das Leben in Deutschland nun akzeptabel:

"Mit solchen Kollegen war doch gut umgehen, Bier trinken, über Maschinen und Material und Arbeiter reden, den Nazis Schabernack spielen, leben eben. War das doch." [3]

Die fatale Konsequenz folgt nach: Das Projekt, an dem er beteiligt werden soll, ist der neu zu errichtende Militärflugplatz Mariengabe. Zunächst ist allerdings nur von einem Auftrag der Wehrmacht die Rede, zu dem auch Tischlerarbeiten gehören. Suspekt ist die Angelegenheit freilich von Anfang an:

"Da lag etwas in der Luft, da war was zu merken, und manch Einer sprach es auch aus: Nu geit dat los." [4]

----
1) S. 444f.
2) S. 448.
3) Ebd.
4) S. 469.

Auch Lisbeth ahnt etwas und weigert sich, Formulare beim Heeresbauamt in der Kreisstadt zu holen. Erst das Argument, daß anders der Lebensunterhalt der Familie nicht zu sichern sei, zwingt sie nachzugeben.

Cresspahl, der den künftigen Krieg von Anfang an "gesehen" hatte, der im vollen Bewußtsein des Bevorstehenden nach Deutschland zurückgekehrt war, ist sich seines Dilemmas bewußt: Will er leben, muß er für die Rüstung arbeiten. Er verdient am kommenden Krieg. Aber er hat keine Alternative. Auch die Tischlerinnung in Gneez kann nur existieren, wenn sie diesen Auftrag akzeptiert. Was nach fröhlicher Kumpanei aussah, entpuppt sich als Einladung zur Mitverantwortung; das scheinbar lebenswerte Leben im Kreis von Kollegen bedeutet de facto Mitschuld am kommenden Krieg. Arbeit und zwischenmenschliche Beziehungen, ohne die Cresspahl nicht leben kann, werden zu tödlichen Verstrickungen.

Deutlich zeigt sich hier, was Gesine dreißig Jahre später in indirekter Form erkennen muß: Leben, arbeiten, kommunizieren (in Gesines Fall auch: konsumieren) heißt mitschuldig werden im Rahmen eines totalen, manchmal totalitären Systems. Durch das Problem der Schuld (die konkret Mitschuld heißt an einem Krieg, in dem Menschen sterben müssen) wird die inhaltliche Verklammerung zwischen den beiden Ebenen des Romans hergestellt. Johnson zeigt drei Generationen von Cresspahls, die mit "ihrem" Krieg konfrontiert sind und ihn doch nicht sehen oder nicht sehen wollen. Jede Generation hat ihre speziellen Schwierigkeiten. Auch wenn Gesine ihrer Tochter Marie das Vietnam-Debakel ihres Gastlandes USA noch so eindringlich zu erläutern versucht, das Kind sträubt sich gegen die unwillkommene Erkenntnis:

"Und Marie sagt in etwas schnippischen, fliegenden Tönen: So kann ich nicht leben, wie du es von mir verlangst! Ich soll nicht lügen, weil du nicht lügen magst! Du wärst längst ohne Arbeit, und ich aus der Schule, wenn wir nicht lögen wie drei amerikanische Präsidenten hintereinander! Du hast deinen Krieg

nicht aufgehalten, nun soll ich es für dich tun! Als du ein
Kind warst, rund um dich haben sie ihren Krieg hochgezogen,
und du hast nichts gemerkt!" 1)

Aus der New York Times haben Marie und Gesine schwarz auf
weiß entnommen, daß die amerikanische Regierung schon längst
vor dem dubiosen "Zwischenfall" im Golf von Tonking zur Kriegs-
führung in Vietnam entschlossen war. Präsident Johnson, der
dies kurz zuvor noch bestritten hatte, ist nunmehr der Lüge überführt. Und Marie, die bisher naiv dem Regierungssys-
tem ihres neuen Heimatlandes vertraut hatte ("Ein Präsident
kann nicht lügen: sagte Marie: Es käme doch heraus!"2)),
sieht sich aufs tiefste desillusioniert.

Was sie im Zorn der Enttäuschung artikuliert, berührt das
Problem der Kontinuität zwischen den Generationen, das in
diesem "Doppel-Roman" zugleich das Problem des inhaltlichen
Zusammenhangs zwischen den beiden Erzählkomplexen "Jerichow"
und "New York" darstellt. Gesine, die als Kind ahnungslos
durch die NS-Zeit in den Zweiten Weltkrieg gegangen ist3),
will ihr Kind vor ähnlicher Blindheit und entsprechendem jähem Erwachen bewahren; doch ihre "Aufklärungsversuche" stoßen
auf Widerstand:

"Sie kann den Krieg in Vietnam nicht sehen. Zu genau hat sie
von mir gehört, wie ein Krieg sich von außen anläßt." 4)

Die Nachrichten, Zeitungsphotos und die (gelegentlichen) Fern-
sehbilder genügen nicht, um die Gegenwärtigkeit des fernen
Geschehens augenscheinlich zu machen. Das Leben in den USA
verläuft normal, friedensmäßig; in den Familien ihrer Schul-
freundinnen ist das Thema erledigt. Marie orientiert sich an
den herrschenden Gebräuchen ihrer Umgebung. "Sie ist so un-
aufrichtig, wie ich sie erzogen habe" konstatiert Gesine
schuldbewußt.5)

----

1) S. 494.
2) S. 491.
3) Vgl. S. 495: "Mein Krieg war gut versteckt [...] ".

Repressalien drohen in der Tat dem, der sich auflehnt: Die
katholische Schule, die Marie besucht, wünscht nicht, daß ein
Kind sich zu sehr engagiert; Marie soll nicht durch Partei-
nahme für die Unterlegenen davon abgehalten werden, "Tatsachen"
als Tatsachen zu akzeptieren.[1] Gesine sieht sich in der
Zwangslage, ihrer Tochter Zurückhaltung empfehlen zu müssen,
damit deren Schullaufbahn nicht gefährdet wird. Sie selbst
schweigt, wenn ihr Chef, der Vizepräsident de Rosny, seine
angebliche Friedensliebe beteuert,[2] und sucht sorgfältig ihre
eigene abweichende Meinung zum Thema Vietnam zu verbergen.

Gesine muß erkennen, daß sie Marie nicht immunisieren kann
gegen die sie umgebende Gesellschaft. Ihre persönliche Lösung:
innerer Protest, Schweigsamkeit (und damit scheinbare Anpassung) nach außen hin überfordert die Zwölfjährige nicht nur;
Marie wehrt sich dagegen, weil sie im Einklang leben will
mit ihrer Welt, mit den Gleichaltrigen und den Institutionen
des öffentlichen Lebens in ihrer Stadt. Gesines Versuche, die
eigenen schmerzlichen Einsichten an die nächste Generation
weiterzugeben, sind zum Scheitern verurteilt. Die Kette der
Verblendung wird nicht abreißen.

Nicht unschuldig daran ist Gesine selbst: Ihre überlegene Einsicht führt nicht zum Handeln, mit dem Marie sich möglicherweise identifizieren könnte. Es bleibt eine scheinbar abstrakte Moral, die sich hinter äußerer Anpassung verbirgt. Wie vor
dreißig Jahren ihr Vater, so steht 1967 Gesine vor der Notwendigkeit, sich ihren Lebensunterhalt zu verdienen. Aber
auch privat tut sie nichts gegen den Krieg, obwohl dies im
liberalen Amerika noch eher möglich wäre als im Deutschland
der NS-Zeit. Doch sie findet keinen Ansatzpunkt für ein

----

noch Fußnoten von S. 25
4) S. 492.
5) S. 493.

----

1) Vgl. S. 313.
2) S. 465.

Engagement. Die Teilnahme an der großen Demonstration in
Washington am 21. Oktober kommt für sie nicht in Frage, und
zwar aus Gründen, über die sie sich selbst kaum Rechenschaft
abzulegen erlaubt.[1] Personifiziert in den Toten, meldet sich
ihr schlechtes Gewissen, das keine Entschuldigung oder Recht-
fertigung durchgehen läßt. Gesine hat "Auftrag" von den Toten
zu handeln[2]. Auffällig ist der aggressive Ton der "Stimmen".
Da Gesine das moralische Postulat nicht in die Wirklichkeit
umzusetzen vermag, verwandelt sich die selbstgewählte Ver-
pflichtung in eine ihr fremd gegenüberstehende Norm. Für den
Leser ist schwer auszumachen, auf welcher Seite das Recht
ist: Auf der der Toten, die Gesine der Feigheit, der Laxheit
und der moralischen Überheblichkeit zeihen - oder auf der Gesines, die auf die politische Wirkungslosigkeit solcher Pro-
teste und ihre eigene Nicht-Übereinstimmung mit den Zielen
der Demonstranten verweist.[3] Argument steht gegen Argument.
Gesine behauptet ihren Standpunkt, die Beschränkung auf das
bloße Wissen. Trotzdem ist ihre eigene Position zwiespältig.
Bilanz ziehend nach ausführlicher Zeitungslektüre über Krieg
und Verbrechen konstatiert sie:

"Es geht uns nichts an, wir sind hier Gäste, wir sind nicht
schuldig. Wir sind noch nicht schuldig." [4]

Ein halbherziger Versuch der Selbstbeschwichtigung; wie lange noch wird Gesine die Fassade des Unbeteiligtseins aufrechterhalten können? Wann wird sie völlig integriert sein in die
Stadt, die ihr zur Wahlheimat geworden ist? Wie lange kann
sie sich vor ihrem Gewissen noch erlauben, unter Sonntagsaus-
flüglern auf der Hudsonpromenade zu sitzen und auf den Lärm
des Negeraufstandes in den Ghettos von New Jersey zu hor-
chen?[5]

----
1) S. 210; vgl. den Abschnitt "Stimmen" im Kap. "Das Unbe-
2) S. 582.   wußte".
3) S. 206ff.
4) S. 90.
5) S. 89.

Die "moralische Schweiz", nach der sie sich sehnt[1], existiert
wohl nirgends; insofern ist der höhnische Rat, den ihr die
Stimmen geben ("Gefällt dir das Land nicht? Such dir ein anderes!"[2]) substanzlos, denn wohin sie auch immer ginge, stets
hätte sie Teil an einer Gesellschaft, in der Unrecht, Verbrechen und Krieg die bestimmenden Faktoren sind. Der Krieg
in Vietnam schafft Arbeitsplätze[3]. Und die Bank, in der Gesine arbeitet, dürfte - trotz der scheinheiligen Beteuerung
ihres Vizepräsidenten - nicht schlecht vom südostasiatischen
Debakel profitieren.

Je konsequenter sich Gesine an ihre Prinzipien hält, desto
mehr wird sie verwiesen auf ein gesellschaftliches Niemandsland, einen im wortwörtlichen Sinne "utopischen" Ort.
Es ist - mutatis mutandis - noch immer die Position, die Gesine in den "Mutmaßungen über Jakob"[4] einnahm: "Was ich hätte
sagen können war, ich möchte auf die Wolken."[5] Gesines Wolken
sind jedoch konkret bestimmbar als die Wolkengebirge, die sie
als Vierzehnjährige beim Drachensteigen mit Jakob über den
Rehbergen gesehen und seitdem in Erinnerung behalten hat:

----
1) S. 382.
2) u.a. S. 80, S. 1007.
3) S. 85.
4) Wenn hier und im folgenden mehrmals auf die "Mutmaßungen
   über Jakob" zurückgegriffen wird, dann deshalb, weil Johnsons Oeuvre mehr und mehr zum Zyklus zusammenwächst, dessen
   einzelne Teile zwar Selbständigkeit wahren, aber doch aufeinander bezogen sind. Johnson läßt Gesine bei verschiedenen Gelegenheiten an ihre in den "Mutmaßungen" niedergeleg-
   te Vergangenheit anknüpfen; ob sie nun die dort referierten Passagen über Frau Abs noch einmal wörtlich aufgreift
   (S. 1192 - vgl. auch "Mutmaßungen", S. 12) oder ihrer
   Tochter die vertrackte Situation vom Herbst 1956 zu erläutern versucht (S. 386). Der Sommer 1945, der für Gesine gewichtige Ereignisse brachte(vgl. das folgende Kapitel),
   taucht als Retrospektive auch in den Erinnerungsmonologen
   der dreiundzwanzigjährigen Gesine vom Oktober 1956 auf. Da
   Johnson die Kenntnis der "Mutmaßungen" stillschweigend voraussetzt, mag es legitim sein, gewisse Sachverhalte, insbesondere aus dem ersten Nachkriegssommer, aus der manchmal
   sehr viel direkteren Darstellung der "Mutmaßungen" zu entnehmen.

"Wenn Sonne aufkam. leuchtete der ganze Himmel wegen des Drachens, und ihre Augen wurden unruhig; die Wolkengebirge erschienen dann ganz weiß, kunstreich waren die Grate gebaut mit ihren Rändern, sie waren räumlich, betretbar." 1)

Die Wolken, auf die sie fliegen möchte, wären demnach nicht ein vager Ort der "Neutralität", sondern einer der Gemeinsamkeit mit Jakob.[2]

----

noch Fußnote v. S. 28.
   Zitiert wird nach folgender Ausgabe: Uwe Johnson: Mutmaßungen über Jakob. Frankfurt/M. 1962. Im folgenden zitiert als "Mutmaßungen".
5) "Mutmaßungen", a.a.O., S. 194.

----

1) "Mutmaßungen", a.a.O., S. 194.
2) Zu Jakob vgl. das Kapitel "Sozialismus".

5) Das Schlüsselerlebnis

Das Schlüsselerlebnis für die zwölfjährige Gesine sind Fotos
vom KZ Bergen-Belsen, die eine englische Zeitung während der
kurzen britischen Besatzungszeit im Sommer 1945 veröffentlichte:

"Die Wirkung hat bis heute nicht aufgehört. Betroffen war die
eigene Person: ich bin das Kind eines Vaters, der von der plan-
mäßigen Ermordung der Juden gewußt hat. Betroffen war die eigene Gruppe: ich mag zwölf Jahre alt sein, ich gehöre zu einer
nationalen Gruppe, die eine andere Gruppe abgeschlachtet hat
in zu großer Zahl (einem Kind wäre schon ein einziges Opfer
als Anblick zuviel gewesen)."[1]

Für die Schwere des Schocks[2], über den hier die Vierunddreißigjährige im Jahre 1967 reflektiert, spricht die Tatsache, daß das eigentliche Schockerlebnis niemals direkt erzählt wird; nur im Vor- oder Rückgriff berichtet Gesine davon,[3]
und aus den Begleitumständen läßt sich die Tragweite dieser
fatalen Erkenntnis rekonstruieren. In diesem Zusammenhang ist
zu erwähnen, daß über den Sommer 1945 ungewöhnlich breit berichtet wird; Gesine spart nicht an Atmosphärischem, um dieses
Niemandsland, diese Phase der Vernichtung und des potentiellen
Neubeginns,dem Zuhörer anschaulich vor Augen zu bringen.[4]

----

1) S. 232.
2) Daß sie selbst faschistisch "infiziert" gewesen war, ohne
   es zu wissen; d.h., daß sie aus dem alltäglichen Umgang mit
   ihrer Umgebung (Schule etc.) den obligaten Sprachgebrauch
   nebst gängigen Konnotationen aufgenommen hatte, wird aus
   den Sprachproblemen der Erwachsenen klar (S. 230ff.).
3) Im Vorgriff S. 232, in Anknüpfung an einen Bericht der
   New York Times über Experimente mit dem menschlichen Gedächtnis; als Rückgriff ist ihre Erinnerung an den Sommer
   1946 zu werten, die sich in den "Mutmaßungen" findet (a.a.
   O., S. 127; Näheres dazu siehe unten!)
4) Über den Beginn der sowjetischen Besatzungszeit am 1. Juli
   1945 wird S. 998ff. berichtet; Cresspahls Verhaftung, die
   sich Ende Oktober 1945 ereignet, findet erst sich auf
   S. 1208f., während sonst für ein Jahr nur etwa 30 - 40 Seiten in Anspruch genommen werden.

Aber sie verfährt keinesfalls streng chronologisch, und der
Leser hat Mühe, die Fakten, vor allem die nachgetragenen,
richtig einzuordnen.

So ist im Zusammenhang mit dem launischen sowjetischen Kom-
mandanten Pontij zu erfahren, daß Gesine sich ihm zu Dank verpflichtet fühlt, weil er den Anblick der Leichen von ihr weg-
genommen hat - der angeschwemmten Wasserleichen vom versenk-
ten KZ-Schiff "Cap Arkona", die die britische Besatzungsmacht
als Sühneakt **öffentlich** in den Dörfern begraben ließ. Wie
schwer der Anblick dieser Leichen auf ihr gelastet hat, wird
erst aus der Retrospektive deutlich. Es ist wohl kein Zufall,
daß Gesine selbst in diesem Sommer an Typhus erkrankt und
sich nur allmählich wieder erholt; **diese Krankheitsphase**
wird nirgends ausführlich dargestellt; daß Psychisches mit
im Spiel sein dürfte, liegt auf der Hand.[2]

Hatte Gesine bisher in vertrauensvollem Einvernehmen mit ihrem
Vater gelebt, so sieht sie in ihm nun einen Angehörigen der
Generation von Mitwissern und damit der indirekt Schuldigen.
Nicht von ungefähr fällt in diese Phase ihre erste, unein-
gestandene Liebe zu Jakob; daß er bei ihr nach Cresspahls Ver-
haftung schlecht und recht die Vaterstelle zu vertreten ver-
sucht, liegt auf dieser Linie.
Aus den "Mutmaßungen" ist zu erfahren, daß Gesine sich bei
Jakob Auskunft darüber holt, ob die Gerüchte über die KZs
wahr seien. Bezeichnenderweise erinnert sie sich bei ihrer
nächtlichen Heimkehr nach Jerichow im Herbst 1956 an diesen
Sachverhalt, und zwar gerade dann, als ihr ihre Liebe zu
Jakob klar wird:

----

1) S. 1111ff. - Referiert wird dieser Sachverhalt erst im Kontext des Juli 1945, als Begründung für Gesines Dankbarkeit
   gegenüber Pontij.
2) Gesines Typhus-Erkrankung fällt in den Juni und Juli 1946;
   sie beginnt also während der kurzen britischen Besatzungszeit, während der Gesine auch mit den Leichen konfrontiert
   wird.

"[...]und wie ich betäubt von der Hitze in dem braunen Wald-
gras lag halb im Kiefernschatten und Jakob zog mit den Pferden
ebenmäßig wie die Ewigkeit über die frischen Stoppeln und wir
saßen nebeneinander an den weich überkrusteten Pflugscharen
und aßen Nachmittagbrot und es fragte plötzlich aus mir heraus
Ist das wahr Jakob mit den Konzentrationslagern: sind Zeitab-
läufe, von denen ich nie habe denken können: das war gestern
und morgen wird es schon vorvorgestern gewesen sein, oder das
war vor zehn Jahren und inzwischen weiß ich über den Monopol-
kapitalismus als Imperialismus viel besser Bescheid und kann
das Vergangene betrachten von heute aus. Sie vergehen nicht,
ich bin dreizehn Jahre alt jeden Augenblick vor Jakobs groß-
flächigem reglosen Gesicht und seinen halb geschlossenen Augen und höre ihn sagen Ja das ist wahr. Damit kann man nicht
leben, das ist unbrauchbar, wie soll es verantwortet werden.
Wie soll das eingerichtet werden mit dem nassen Buchenblätter-
rascheln unter unseren Schritten und mit den schwankenden
kreisenden Kieferkronen über uns vor dem grauen nächtlichen
Himmel und mit meinem verdorbenen Leben und mit Jakob, den ich
nicht sehen kann in dem schwarzen engen hochwandigen Hohlweg,
er sollte nicht so schnell gehen, habe ich es so gewollt? so
habe ich es gewollt. So ist der Wünschenswert." 1)

Der Satz "damit kann man nicht leben, das ist unbrauchbar, wie
soll das verantwortet werden" bezieht sich einerseits auf den
Komplex "KZ/Schuld", dessen Wahrheit Gesine von Jakob in diesem Moment definitiv bestätigt wurde, zugleich aber auch auf
den Sachverhalt "Gegenwärtigkeit des Vergangenen", über den
sie unmittelbar zuvor reflektierte. Die Ereignisse des Som-
mers 1945 sind für sie im Jahre 1956 noch immer bleibende Gegenwart, und es darf vermutet werden, daß sich auch für die
vierunddreißigjährige Gesine nichts daran geändert hat. Die
Liebe der Halbwüchsigen zu Jakob, in thematischer Engführung
mit Schuld und Tod verbunden (sogar das Motiv des Typhus
taucht eine Seite vorher als schreckenerregende Erinnerung
auf)2) erweist sich als die eigentliche traumatische Fixierung, von der sich auch die Erwachsene später nicht mehr zu
lösen vermag.

---

1) "Mutmaßungen", a.a.O., S. 127. - Bedeutsam ist die Formulierung: "und es fragte plötzlich aus mir heraus": Hier
   wird nochmals die Überwältigung der Pubertierenden durch
   ein Ereignis sichtbar, dem sie nicht gewachsen ist und das
   sie gleichsam wider ihren Willen zu dieser Frage zwingt.
2) "Mutmaßungen", a.a.O., S. 126.

Damit läßt sich, nach Gesines eignen Worten, "nicht leben":
Weder mit der kollektiven Mitschuld noch mit der unauflös-
lichen Bindung an die sich perpetuierende Vergangenheit. Während sie in den "Mutmaßungen" von ihrem "verdorbenen" Leben
spricht, bezeichnet sie sich in den Jahrestagen als einen
"falschen Menschen, der von sich getrennt ist durch die
Tricks der Erinnerung".[1]

Denkbar wäre gewesen, daß Gesine zu einer neuen Identität im
Rahmen des Sozialismus gefunden hätte. In einem Sozialismus,
der eine "Neue Ordnung" tatsächlich geschaffen hätte, wäre
Gesine - möglicherweise an der Seite Jakobs - zu einem neuen
Selbstbewußtsein gelangt, das die Schulderfahrung nicht verdrängt, sondern durch nutzbringende Tätigkeit im Dienst der
Gemeinschaft bewältigt hätte.[2] Da die politische Entwicklung
der DDR, insbesondere auch der dort wieder auflebende Anti-
semitismus[3], ihr diese neue Identifikation verweigerte,
blieb es bei der traumatischen Fixierung an die alte Schuld
und die unerfüllte Liebe.[4]

----
1) S. 125.
2) Der Gestalt Jakobs kommt in diesem Zusammenhang zentrale
   Bedeutung zu. In seiner Untersuchung über Johnsons "Mutmaßungen" weist Bernd Neumann nach, daß Jakob primär als
   "Werktätiger" dargestellt wird; als ein Mensch, der in seiner Arbeit Sinn und Befriedigung findet. Während das Leben
   des Intellektuellen Jonas durch Entfremdung gezeichnet ist,
   weckt ihm der Anblick des arbeitenden Jakob den Wunsch nach
   einer genauso befriedigenden Tätigkeit. Jakob ist So-
   zialist, aber ohne Dogmatismus und große Phrasen. Im Westen
   kann er nicht leben; im Osten möchte er nach der Niederwer-
   fung des ungarischen Aufstands nicht länger leben. Neumann
   macht deutlich, daß Jakob, "der Wünschenswert", wie Gesine
   ihn nennt, als repräsentative Gestalt eines humanitären Sozialismus erscheint. (Bernd Neumann: Uwe Johnsons "Mutmaßungen über Jakob": Die "nicht-aristotelische" Gestaltung
   einer konkreten Utopie. In: Der deutsche Roman im 20. Jahrhundert. Bd. 2. Hrsg. von Manfred Brauneck, Bamberg 1976,
   S. 118-144).
3) "Sie schaltete das Vertrauen zur ostdeutschen Republik
   ab, weil die Anstalten machte, Stalins Ärzteprozeß vom Ja-
   nuar 1953 zu übernehmen, und so ein ungefähres antifaschis-
   tisches Versprechen brach" (S. 232f; vgl.das Kapitel "Sozialismus").

Die Verhaltensweise ihres Vaters, der sehenden Auges schuldig
wurde, begreift Gesine erst sehr viel später, als sie sich
während des amerikanischen Vietnam-Krieges in entsprechender
Situation befindet. Ihr Erzählen macht nicht nur die Parallele
deutlich, es dient auch der wechselseitigen Erhellung beider
Komplexe. Die Zwölfjährige jedoch, die bisher ihrem Vater vertraut hatte, sieht sich grausam desillusioniert. Sie erkennt
die Täuschung, der sie erlegen ist. Was ihr zuvor als Wirklichkeit erschien, bedarf jetzt der Revision. (Sie wird expliziert
am Beispiel der letzten Ferien in Altenhagen, bei denen die
erwachsene Gesine ergänzt, was das naive Kind nicht gesehen
hatte[1]). Von nun an trennt sie ein Graben von dem Kind, das
sie gewesen war.[2]
Jetzt bemüht sie sich, hinter die Kulissen zu schauen. Sie miß-
traut dem, was sie vor Augen hat, und sucht nach Hintergrund-
informationen, die ihr Einblick in die Zusammenhänge verschaffen. Ihre Obsession für das Zeitunglesen rührt aus dieser
Phase; schon Jakob mußte ihr Zeitungen mitbringen, damit sie
glaubte, was ihr gesagt wurde. Aus der New York Times holt
sie sich nun das notwendige Wissen zum Verständnis ihrer "normalen" Wirklichkeit und lernt aus den Berichten über Krieg
und Verbrechen, daß der Anschein von Normalität sie trügt.

Der Schock der damaligen Erfahrung bleibt, er wird nicht vergessen oder verdrängt. Gesine straft das Gedächtnis-Experi-
ment von zwei Forschern der Universität Princeton Lügen, das
mit wissenschaftlichen Methoden beweisen wollte, unangenehme
Erinnerungen fielen leichter dem Vergessen anheim als neu-
trale.[3] Noch immer sind bestimmte antisemitische Ausdrücke
geeignet, bei ihr eine Schmerzreaktion auszulösen; noch immer
spürt sie Erschrecken, wenn sie jüdischen Emigranten begegnet.
An der Oberen Westseite Manhattans, wo sie lebt, fristen zahl-
reiche Juden ihr mehr oder minder armseliges Dasein; sie

Fußnote v. S. 33
4) Vgl. das Kapitel "Jerichow".

----
1) Vgl. S. 955f ("Heute weiß ich, daß die Ferien von anderer

begegnet ihnen beim Einkaufen, sie sind die Eltern von Maries Schulkameradinnen. Professor Kreslil, bei dem sie
Tschechisch lernt, gehört genau so zu ihnen wie Mrs. Ferwalter, ihre erste nähere Bekanntschaft in den USA. Gesines sub-
jektives Bewußtsein entspricht dem der emigrierten Juden, für
die gleichfalls das Vergangene noch tief in die Gegenwart
hineinreicht: Gesine ist Deutsche, also mitverantwortlich, ob
sie es nun wahrhaben will oder nicht.

In diesem Zusammenhang sind die Erfahrungen zu sehen, die der
- als Person auftretende - Schriftsteller Uwe Johnson bei seinem Vortrag vor dem Jewish American Congress machte[1]: Alle
Versuche der Distanzierung, Erläuterung oder Differenzierung
erscheinen als unangemessener Beschwichtigungsversuch angesichts des ungeheuren Leids, das diesen Menschen widerfahren
ist.

Die Wunde ist noch immer offen, es gibt kein Vergessen, solange noch ein Angehöriger der Getöteten am Leben ist.

----

noch Fußnote 1) von S. 34
    Art waren".)
2) In diesem Zusammenhang ist ihr Sprachgebrauch: "Das Kind,
   das ich war", zu verstehen.
3) Vgl. S. 226ff.

----

1) Vgl. S. 253ff.

6) Sozialismus

Nochmals soll die Kernstelle aus den "Mutmaßungen" näher betrachtet werden:

"[...] und Jakob zog mit den Pferden ebenmäßig wie die Ewigkeit über die frischen Stoppeln und wir saßen nebeneinander
an den weich überkrusteten Pflugscharen und aßen Nachmittagbrot und es fragte plötzlich aus mir Ist das wahr Jakob mit
den Konzentrationslagern [...] " 1)

Der große Bruder, der hilfreiche, kluge, einfühlsame, aber
auch neckische Jakob ist die Vertrauensperson, an die sich
Gesine in ihrer Ratlosigkeit wendet; dargestellt wird er als
tätiger Mensch, doch sein Bild wird zugleich durch die Stili-
sierung emporgehoben ins Zeitlose. Er bestätigt ihr die furchtbare Wahrheit, aber er gibt ihr neue Kraft, er zeigt ihr die
Wege, im wörtlichen und übertragenen Sinn.2) Als sie durch
den Typhus ihre Haare verloren hat, läßt er sich auch kahl-
scheren - nun können ihrer beider Haare um die Wette wach-
sen.3) Jakob arbeitet bei Bauern, später im Gaswerk, schließlich macht er bei der Eisenbahn eine Lehre durch und steigt
aufgrund seiner Tüchtigkeit vom Rangierer zum Dispatcher auf.
Neben Cresspahl ist er der einzige in Johnsons Oeuvre, der
Freude an seiner Arbeit hat.4)
Nicht von ungefähr hat sich Gesine das Bild des pflügenden
Jakob eingeprägt. Die Erläuterung "ebenmäßig wie die Ewigkeit" drückt nicht nur das Gleichmäßige des Vorgangs aus, sondern auch seine fortdauernde Gegenwart für Gesine. Die Halbwüchsige blickt auf den Mann, der, unbeirrt selbst durch die
extreme Hitze, nur dem eigenen Gesetz gehorchend, seine
Furchen zieht. Gradlinig, ohne Schwankungen und Abweichungen

----

1) "Mutmaßungen", S. 127. - Zur Interpretation dieser für Gesine
   entscheidenden Stelle vgl. auch das Kapitel "Das Schlüsselerlebnis".
2) Erwähnt wird, daß er ihr einen Weg ins Dorf zeigt, auf dem
   sie die offenen Gruben des Typhusfriedhofs vermeiden kann,
   vor deren Anblick sie sich fürchtet ("Mutmaßungen", a.a.O.,
   S. 126).

pflügt er den Acker; in der Perpetuierung des Vorgangs liegt
zugleich der Ansatz zur Mythifizierung. Eine unüberbrückbare
Differenz trennt die von Zweifeln gequälte Gesine von der in
sich ruhenden Stetigkeit und Harmonie des tätigen Lebens.

Bezeichnenderweise findet Jakob Anschluß an den Hof der Schlegels, wo in anachronistischer Vorwegnahme bereits die spätere
Kollektivierung der Landwirtschaft praktiziert wird, während
die sowjetischen Sieger im übrigen Mecklenburg das nicht le-
bensfähige Modell des kleinbäuerlichen Besitzes propagieren.
Für kurze Zeit lernt Gesine eine Gesellschaft von Gleichberech-
tigten kennen, die, von ihren kleinbürgerlichen Nachbarn ver-
femt, wahren Sozialismus leben.[1]

Der Schlegelsche Hof trägt, wie erwähnt, Ausnahmecharakter:
ansonsten ist in der sowjetisch besetzten Zone alles beim
alten geblieben, vor allem die Eigentumsverhältnisse, die gegen die besitzlosen Flüchtlinge erbittert verteidigt werden.
Von "Neuer Ordnung", wie sie die Besatzungsmacht propagiert,
kann im Grund keine Rede sein. Kleinlicher Zank, Ranküne und
Egoismus beherrschen das Feld. Die brutale Willkürherrschaft
der Sowjets tut das Ihre, um den Menschen den letzten Rest
an Solidarität auszutreiben. Johnson schildert das sisyphus-
hafte Bemühen des Bürgermeisters Cresspahl, die Ernährung
der kleinen Stadt Jerichow zu sichern, das immer wieder an den
Sultanslaunen des örtlichen Potentaten Pontij scheitert.
Großspurige Phrasen und Wandsprüche, den nationalsozialistischen bis in den Aufbau ähnlich, bilden die Fassade, hinter
der Despotie und Not herrschen.

----

noch Fußnoten von S. 36
3) Vgl. S. 1097.
4) Dieser Aspekt wird, wie erwähnt, stark betont in der Abhandlung von Bernd Neumann: "Uwe Johnsons 'Mutmaßungen über
   Jakob': Die 'nicht-aristotelische' Gestaltung einer konkreten Utopie. a.a.O., passim; Jakob wird dort als Inkarnation
   des echten Sozialismus dargestellt.

1) S. 126977.

Wie Gesine dennoch vom Sozialismus überzeugt wird, bleibt
ungesagt.[1] Der Torsocharakter des Werkes trägt ebenso die
Schuld daran wie die Verschlossenheit der Erzählerin Gesine,
die vor den bohrenden Fragen ihrer Tochter ausweicht: erst auf
den Appell der Toten hin ist sie bereit, über die wirklichen
Verhältnisse im sowjetisch besetzten Mecklenburg zu erzählen.[2]
Sie will dem (durch Schule und Umwelt vermittelten) Antikom-
munismus ihrer Tochter keinen Vorschub leisten. Wenn sie mit
ihrer einzigen Freundin, der "Roten Anita", die mit ihr Herkunft und Vergangenheit teilt, vom Sozialismus spricht, redet
sie von "unseren Kinderwünschen".[3] Doch es wird niemals dargelegt, wie diese Wünsche aussehen. Die ironische Formulierung
mag auf das Unklare dieser Vorstellungen hindeuten, die trotzdem Gegenstand von Sehnsüchten und Träumen geblieben sind.[4]

Der Sozialismus fungiert als Alternative zum bestehenden System; Gesine äußert antikapitalistische und antiimperialisti-
sche Überzeugungen, die ihr offensichtlich ein Weiterleben

---

1) Es mag erlaubt sein, auf Johnsons "erstes" Buch "Ingrid
   Babendererde" zurückzugreifen, von dem gedruckt nur einige
   Kapitel vorliegen; hier wird beschrieben, wie die anfangs
   positive Einstellung von Jugendlichen zum Sozialismus
   durch stalinistische Praktiken einerseits und eine ausge-
   prägte Privilegienwirtschaft andererseits (exemplifiziert
   am Beispiel eines karrieresüchtigen Lehrers) ausgehöhlt
   wird. (Vgl. Uwe Johnson: Eine Abiturklasse. In: Aus aufgegebenen Werken. Sonderband der Bibliothek Suhrkamp. Frank-
   furt/M. 1968, S. 107-123.)
2) Vgl. S. 1029f.
3) S. 990.
4) In diesem Zusammenhang ist zu verweisen auf Johnsons Analyse von Lebensläufen junger DDR-Bürger, die aus politischen Gründen in den Westen geflohen sind; Johnson erläutert die doppelte Wurzel von Antifaschismus und Antikapitalismus, die anfangs die Loyalität der Jugendlichen gegenüber dem sozialistischen System gewährleistete, die
   aber durch die Praxis immer wieder Lügen gestraft wird. In
   seiner exemplarischen Darstellung des Vertrauensschwunds
   dürfte auch Gesines spezieller Fall einbegriffen sein.

in den USA unmöglich machen. Als Ausweg bietet sich der Sozialismus der CSSR an, der für sie konkrete Gestalt gewinnt,
als die CSSR bereit zu sein scheint, die Rechtssicherheit
wiederherzustellen.[1] Gesine fragt sich, ob die Tschechen in
der Lage sein werden, Dunkel in das Licht ihrer unbewältigten
stalinistischen Vergangenheit zu bringen, was für sie das Kriterium einer echten sozialistischen Erneuerung wäre.[2] Der
Übertritt zum Sozialismus hieße für Gesine, daß sie sich "wahr"
macht, daß sie die Lüge ihres jetzigen Daseins, die Fremdbe-
stimmung, abstreift und so zu einer neuen Identität findet:
"Wenn der Sozialismus belassen, oder eingeführt wird.
Das als Arbeit, du wärst nicht nur angestellt zu ihr, sondern
auch selbst dabei."[3].

---

noch Fußnote 4) v. S. 38
    (Vgl. Johnsons Nachwort:"Versuch, eine Mentalität zu er-
    klären" zu Barbara Grunert-Bronnen: Ich bin Bürger der
    DDR und lebe in der Bundesrepublik. München 1970 (S.119-
    120).

---

1) S. 687ff.
2) Zur politischen Dimension des "Prager Frühling" vgl. Zdenek
   Mlynar: Nachtfrost: Erfahrungen auf dem Weg vom realen zum
   menschlichen Sozialismus. Köln 1978.
   Bezeichnenderweise taucht dieser Aspekt in Gesines Gedankengängen nicht auf; die Prager Entwicklung reduziert sich
   für sie auf die Kategorien "Rechtssicherheit" und "Ent-
   stalinisierung", die beide eng zusammengehören.
3) S. 622.

7) Jerichow

"Wo ich her bin das gibt es nicht mehr."[1]
"Dahin zurück darf ich nicht. Das ist weit von hier. Das ist
mehr als 4500 Meilen entfernt, und mehr, noch nach acht Stunden Flug muß man dahin gehen, bis man in die Nacht gerät,
und kommt nicht an. Das ist mehr als 6000 Kilometer. Das ist
wendische Gegend, Mecklenburg, an einer anderen Küste." [2]

Nur im Traum versucht Gesine die Rückkehr, die aber mißlingt;[3]
die kafkaesken Wendungen, mit denen sie die Unerreichbarkeit
ihrer einstigen Heimat umschreibt, erinnern an diesen vergeblichen Versuch, vielleicht aber auch an die nächtliche Rückkehr im Jahre 1956, die im Mittelpunkt der "Mutmaßungen über
Jakob" steht. Das Nicht-Ankommen könnte sich dann auf die damals erkannte Tatsache beziehen, daß das Jerichow ihrer Kind-
heit ihr vollkommen **fremd geworden** ist.[4]
Wenn Jerichow trotzdem für sie - und nolens volens für den Leser - zum Mythos geworden ist, hängt dies mit Gesines Identi-
tätsverlust und ihrer offensichtlich traumatischen Fixierung
auf dieses Ereignis zusammen. Noch immer ist das heimatliche
Platt für sie der unverstellte Ausdruck ihrer Individualität.
Durch die anderen Sprachen hindurch läuft der Dialog zurück
ins Platt (sei es mit den Toten, sei es mit D.E.), wo er seinen Endpunkt findet: So z.B. in einem Dialog mit Erichson,
der sie über die "Amerikanisierung" ihrer Tochter zu beruhi-
gen sucht; er beginnt Hochdeutsch und endet mit der Ver-
sicherung:

Glöw mi man so. [5]
Glöw' ck di so."

---

1) S. 386.
2) S. 490.
3) S. 419.
4) Vgl. "Mutmaßungen", S. 127:
   "[...]ein finsterer Klumpen in der Senke mit der Kirchturm-
   spitze und dem Licht in meines Vaters Haus: was sollte ich
   in meines Vaters Haus[...]".
5) S. 1324. (Entsprechend im fiktiven Gespräch mit Aggie
   Brüshaver, S. 761.)

"Glauben" kann Gesine erst, was sie in ihrem heimatlichen Idiom
hört; die Fremdsprachenkorrespondentin, die von der Differenz
der Sprachen lebt; die Emigrantin, die freiwillig die sprach-
liche Entfremdung potenziert, kann authentischen Selbstaus-
druck und echte Kommunikation nur in "ihrer" Sprache finden.[1]
(Daher die immer größer werdende Entfernung von Marie, die in
ihrer eigenen Sprache lebt und sich gegen deren drohenden
Verlust zur Wehr setzt.)

In der Sprache lebt auch die Erinnerung an Jerichow fort, an
das Jerichow, das es heute nicht mehr gibt. Der Ort, an dem
Gesine ihre Identität eingebüßt hat, ist zur Erinnerung geworden, vor allem zur sprachlich fixierten Erinnerung. Schon der
auf den Anfangsseiten zitierte Kindervers

"Ge-sine Cress-pål
ick peer di dine Hackn dål"[2]

beschwört eine Zeit, die als völlig vergangene[3] nur noch im
Gedächtnis der Gesine Cresspahl weiterlebt. Bezeichnend ist
die Tatsache, daß selbst die Erinnerung für sie keine Vergegenwärtigung bedeutet. Daher ihre Klage über die Unzulänglich-
keit des Gedächtnisses:

"Daß das Gedächtnis das Vergangene doch fassen könnte in die
Formen, mit denen wir die Wirklichkeit einteilen! Aber der
vielbödige Raster aus Erdzeit und Kausalität und Chronologie
und Logik, zum Denken benutzt, wird nicht bedient vom Hirn,
wo es des Gewesenen gedenkt.[...]4]

Selbst wenn sich Gesine ihren unwillkürlichen Erinnerungen
hingibt, wird ihr vor allem der Unterschied zur Gegenwart
deutlich. Der Kindervers, den sie niemals wiederhören wird,
knüpft sich an eine kindliche Neckerei, mit der man einander

----

1) Vgl. das Kapitel "Sprechen".
2) S. 8.
3) Man vergleiche den Gebrauch des Perfekt in diesem Zusammenhang: "Das Wort für die kurzen Wellen der Ostsee ist
   kabbelig gewesen" (ebd.); das Perfekt soll offensichtlich,
   entgegen dem sonstigen Sprachgebrauch, den absoluten Ver-
   gangenheitscharakter der Jerichow-Erinnerungen signalisieren.

beim Laufen zu Fall brachte. Aber das simple Spielchen
scheint nur in Mecklenburg bekannt gewesen zu sein:

"Can you teach me the trick, Miss C.? It might not be known
in this country,"

hört Gesine im Geist ihre Tochter sagen.[1] Unbekannt ist die
Art, wie sie den Kopfsprung macht; der amerikanische nimmt
sich anders aus.[2] Die Anfangskapitel der drei Bände, die jeweils "im Wasser" als Freiraum beginnen und damit Gelegenheit
geben zum zwanglosen Erinnern[3], heben gerade die kleinen
Unterschiede als die eigentlich gravierenden hervor
Es gibt keine "wiedergefundene Zeit"; die amerikanische Gegenwart tritt beim Erinnern um so deutlicher hervor. Jerichow,
auch wenn es sich vermutlich nicht allzusehr verändert hat,
ist Gesine zum Symbol für Vergangenheit geworden.[4] Für die
Vierunddreißigjährige, die sich erinnert, ist es weniger ein
Ort als eine Zeit. Die ehemalige Republikflüchtige, die überraschend mit dem Angebot einer legalen Reise in ihre Heimat
konfrontiert wird[5], stellt fest:

"Dahin will ich nicht zurück. Ich habe gelebt in Jerichow,
Mecklenburg, Sachsen, Frankfurt, Düsseldorf, Berlin. Da sind
die Gegenden übrig, nicht die Toten, Cresspahl, Jakob, Marie
Abs. Sie, die ich war." [6]

Von ihrer einstigen Identität abgeschnitten durch das Schockerlebnis, wird ihr die eigene Person von damals zur fremden,
ja sogar zur toten; es ist Ausdruck eines Bruches, der irre-
versibel ist.

----
noch Fußnote von S. 41
4) S. 63.

----
1) S. 9.
2) Vgl. S. 487 ff.
3) Vgl. den Abschnitt "Tagträume" im Kapitel
   "Das Unbewußte".
4) Symptomatisch ist, daß Gesine nur die "Stimmen" von Toten
   hört, sofern es sich um Stimmen aus der Jerichow-Erzählebe-
   ne handelt. Die Tatsache, daß sie die Stimme Kliefoths
   hört, ist für sie Hinweis genug, daß Kliefoth bald sterben

Was sie in ihren Erzählungen beschwört, ist jedoch nicht die
heile Kinderwelt einer bruchlosen Identität von Individuum
und Gesellschaft. Von Anfang an wird Jerichow beschrieben als
ein Ort, an dem die Idylle nicht gedeiht. Dominierendes Merk-
mal ist die Unterdrückung durch den Großgrundbesitz, die der
kleinen Stadt ihr "geducktes" Wesen verleiht.[1] Das armselige*
Provinznest hat keine Möglichkeit, sich zu entfalten. Detail-
liert wird das Heraufkommen des Faschismus und die willfähri-
ge Anpassung der Bewohner beschrieben.[2] Diese Darlegungen
sind die Vorgeschichte von Gesines Schlüsselerlebnis und daher zu dessen Verständnis unerläßlich.

Heimat im eigentlichen Sinn ist Jerichow ihr nie gewesen;
seitdem ihre Taufe belastet war von der Ermordung eines
Menschen durch die Nationalsozialisten[3] , liegt ein Schatten
auf Gesines Leben. Der Tod ihrer Mutter und die Kriegserleb-
nisse haben niemals jene Geborgenheit aufkommen lassen, die
der Begriff "Heimat" evoziert. Nicht um der Verklärung der
Vergangenheit willen, sondern zur Erhellung ihres eigenen
Traumas beharrt Gesine auf der Repetition der Ereignisse,
die in letzter Konsequenz zu den Toten von Bergen-Belsen
führten. Aber auch die Nachkriegsgeschichte wird minutiös
beschrieben, weil hier die Wurzeln für den zweiten Bruch
ihrer Identität liegen: Im Despotismus eines Pontij spiegelt
sich der stalinistische Machtmißbrauch, und der eilfertige

---

noch Fußnote 4) v. S. 42
   wird. (S. 1177).
5) Vgl. S. 943ff.
6) S. 1008.

---

1) Vgl. die Beschreibung der Stadt Jerichow S. 30ff.
2) Vgl. auch das Kapitel "Volk".
3) S. 246.

Opportunismus der Einwohner von Jerichow manifestiert die
reale Beschaffenheit des gerade eingeführten Sozialismus,
der ihr keine neue Identität ermöglichte.[1]
Wie die Erinnerung an Jakob (der für Gesine den Inbegriff
des wirklichen Sozialismus darstellt[2]) Gesine daran hindert, sich wieder in einen Menschen zu verlieben[3], so hindert die Fixierung an Jerichow sie daran, wieder eine Bindung einzugehen an ein Land. Sie will "im Exil" bleiben, es
sei denn, sie findet in einem zu sich selbst gekommenen
Sozialismus eine neue Heimat.

---

1) Vgl. S. 232 u. das Kapitel "Sozialismus".
2) Vgl. das Kapitel "Sozialismus".
3) Vgl. S. 388.

8) <u>Westdeutschland</u>

Wenn auch Gesine einige Jahre in der Bundesrepublik gelebt
hat, so war doch Westdeutschland für sie niemals mehr als ein Ort,
an dem man sich faut de mieux aufhielt. (Die negativen Äußerungen Gesines aus den "Mutmaßungen" bekräftigen diese These.)
Auch aus der Rückschau weiß Gesine wenig Positives über die
westdeutsche Republik zu sagen. Die USA mochten ihr zunächst
als ein Land mit größerer Liberalität und Weltoffenheit erscheinen. Motive für ihren Umzug werden nicht genannt; möglicherweise gab Gesines Furcht vor der Refaschisierung der Bundesrepublik den Ausschlag. Nachdem sich jedoch die Illusionen
über ihr neues Gastgeberland verflüchtigt haben und Gesine
sich längst nach einer "moralischen Schweiz" sehnt, hebt
sich das Bild Westdeutschlands noch immer negativ von dem
der USA ab, so daß kein Heimweh aufkommen mag.
Was ihre Hauptinformationsquelle, die New York Times, über
Westdeutschland zu berichten weiß, bestätigt diese Meinung:

"In der Heimat, der westdeutschen, wie geht es da?
In Stuttgart hat ein Gericht nach 144 Sitzungen und andert-
halb Jahren einige Soldaten der S.S. verurteilt, die die jü-
dische Bevölkerung von Lemberg als Sklaven hielten und sie
im Lager Belzec endgültig umbrachten.[...]
In Baden und Württemberg haben die Neuen Nazis 9,8 vom Hundert in den Landtagswahlen gewonnen, das sind 12 von 127
Sitzen. Jeder zehnte auf den Straßen Baden-Württembergs
[...]". 1)

Auch die meisten anderen der vielen Berichte aus der Bundesrepublik, die Gesine zitiert oder referiert, behandeln ähn-
liche Themen: Milde Urteile in KZ-Prozessen und neu aufkommen-
der Neonazismus bilden gleichsam den Hintergrund für die offizielle Politik der Bundesregierung, nämlich die Bildung der
Großen Koalition unter dem ehemaligen Nationalsozialisten
Kiesinger und unter einem Bundespräsidenten, der sich nicht

----

1) S. 1091.

mehr erinnern kann, ob er einmal Baupläne für Konzentrationslager angefertigt hat. Eine vier Jahre zurückliegende Urlaubs-
reise in die Holsteinische Schweiz[1] untermauerte Gesines Aver-
sion gegen Westdeutschland. Was sie und Marie damals erleben
mußten, läßt darauf schließen, daß die faschistoide Mentalität, gemischt aus Brutalität und Sentimentalität, sich nicht
verändert hat.

Gewissermaßen als Gegenstück[2] dazu fungiert eine Passage, in
der Gesine sich ausmalt, was aus Jerichow geworden wäre, wenn
man es 1945 zur britischen Besatzungszone geschlagen hätte.
Hervorstechendstes Kennzeichen dieses "westdeutschen" Jerichow
wäre die totale Orientierung am Profit gewesen. Aus dem ärm-
lichen, aber doch individuell geprägten Kleinbürgerstädtchen
wäre ein gesichtsloser, normierter, durch und durch kommerzia-
lisierter Touristenort geworden:

"Die Stadtstraße wäre ein Kanal zu ebener Erde, asphaltiert,
eingefaßt von Kristallglas und Chrom. Auch in den ärmsten
Häusern wären die Kreuzstöcke ausgebrochen, ersetzt durch
Schaufenster oder durch doppelglasig versiegelte Apparate,
zweiseitig schwenkbar. Zwei Fahrschulen, ein Reisebüro, eine
Filiale der Dresdner Bank. Elektrische Rasenmäher, Haushalts-
geräte aus Plastik, Taschenradios, Fernseher. [...] [3]

Obwohl Gesine ihre Vision mit keinem persönlichen Kommentar
versieht, ist doch ihr Urteil klar erkennbar: So soll Jerichow
nicht sein; lieber soll es unreichbar hinter der Grenze
liegen. Dann kann ihre Erinnerung sich dorthin zurückträumen
in der Hoffnung, daß dieses erinnerte Jerichow wenigstens
noch existiert.

----
1) S. 1246 ff.
2) Gesines Erinnerungen an den Ausflug in die Holsteinische
   Schweiz folgen (ohne äußerlich erkennbare Begründung) im
   Abstand von wenigen Seiten auf das Phantasiestück "Wenn
   Jerichow zum Westen gekommen wäre"; daß zwischen beiden
   Passagen ein komplementäres Verhältnis besteht, ist offensichtlich.
3) S. 1240.

9) Rassenfrage - Klassenfrage

Ausgerechnet ein jüdischer Makler ist es, der der wohnungs-
suchenden Gesine versichert, man werde die betreffende Gegend
von Negern freizuhalten wissen.[1] Gesine, zum ersten Mal konkret mit der Realität der Rassendiskriminierung konfrontiert,
trägt sich mit dem Gedanken, die USA sofort wieder zu verlassen. Sie bleibt, als sie eine Wohnung findet, deren Vermiete-
rinnen versichern, die Hautfarbe des künftigen Mieters spiele
keine Rolle.[2]

Gesine wehrt sich - zumindest subjektiv - gegen die Privilegierung, die ihr als Angehöriger der weißen Mittelklasse fast
automatisch zufällt. Doch sie pflegt keine persönlichen Kontakte mit Schwarzen. Gerade weil sie sich ihres Status als
Weiße bewußt ist, weiß sie, welche Kluft die Rassen trennt;
Fraternisierung wäre Illusion oder Lüge. (Damit mag es zusam-
menhängen, daß, wie von Kritikern vermerkt[3], dem Amerikabild
der "Jahrestage" die afro-hispanische Komponente völlig abgeht; Gesine meidet sie als falsche Exotik.)
Das schlechte Gewissen, das ihre Privilegierung erweckt,
nimmt ihr das moralische Recht, einen Beileidsbrief an die
Witwe des ermordeten Martin Luther King zu schreiben, obwohl
sie das dringende Bedürfnis dazu verspürt.[4] Ihre freiwillige
Anwesenheit in den USA gerät mehr und mehr zur Schuld, der
sie sich entziehen möchte. Deutlich erkennt sie die Zusammenhänge zwischen Rassen- und Klassenfrage:

"Dein Kind, Gesine Cresspahl, kam aber mit sechs Jahren immer
noch nicht in eine städtische Schule, in einen der schäbigen
Ziegelkästen, die stinken nach fiskalischem Geiz, in überfüll-
te Klassen, in denen die Kinder der Armen die Streite ihrer
Eltern ausschlafen, in denen unterbezahlte Lehrer mehr auf die

----

1) S. 21.
2) S. 26: "Wäre sie *hier* geblieben, wenn nicht in der Wohnung an
   der Straße am Fluß? Sie wäre kaum geblieben, hätte sie nicht,
   ohne noch zu suchen, die schmale Anzeige gefunden [...]".
   - Die oft vertretene These, daß die Nachricht von der

eigene Verteidigung bedacht sein müssen als auf den Unterricht[...]. Sollte in einer Schule für Marie nicht die Polizei erscheinen und Abgesandte der farbigen Bevölkerung aus dem Gebäude prügeln? Gibt es für dich Kenntnisse, vor denen du dein Kind bewahren willst?" 1)

So die Rechenschaft verlangenden Toten in einem von Gesines selbstquälerischen Dispute. Wie sehr die Rassenfrage zur Klassenfrage geworden ist, zeigt sich bereits in den Eingangspassagen des ersten Bandes:

"Die dunkelhäutige Dienerschaft des Ortes füllt eine eigene Kirche, aber Neger sollen hier nicht Häuser kaufen oder Wohnungen mieten oder liegen in dem weißen grobkörnigen Sand." 2)

Ihren eigenen Prinzipien zufolge müßte Gesine sich auf die Seite der Unterprivilegierten stellen, aber nicht nur in Gedanken, sondern in der Realität, und sie müßte die Konsequenzen für sich und ihr Kind tragen. Statt dessen genießt sie, wenn auch mit schlechtem Gewissen, den Ferienaufenthalt an der Atlantikküste, trotz der Rassendiskriminierung, und ihre Tochter wird auf eine teure Privatschule geschickt, wo man ihre Fähigkeiten individuell fördert.

Das eigentliche Klassen- und Rassenproblem beginnt erst, als neben die Schülerin Marie die "Alibi-Negerin" Francine gesetzt wird, der Marie, gemäß den Grundsätzen, nach denen sie erzogen wurde, mit solidarischer Hilfe begegnen müßte, was jedoch Maries Kräfte bei weitem übersteigt. Marie erfährt, daß liberale Freundlichkeit angesichts realer Unterprivilegierung nicht ausreicht; die Grenzen privater Hilfsbereitschaft werden sichtbar; und nicht umsonst zitiert Gesine in diesem Zusammenhang Brechts Gedicht von den "Nachtlagern".3)
Gesine und Marie erleben ihr Scheitern, als sie Francine vorübergehend bei sich aufnehmen: Die Normen der Mittelschicht

----

noch Fußnote 2) v. S. 47
    eventuellen Aufhebung der Verjährungsfrist für NS-Verbrechen (S. 21) Gesine an der Rückkehr in die Bundesrepublik gehindert habe, erweist sich als substanzlos, weil sie sich auf das Jahr 1967, nicht aber auf 1961 bezieht.
3) Vgl. die bereits erwähnte Kritik von S.Bauschinger (a.a.O., S. 382-397).
4) S. 961 f.

und die der Unterschicht erweisen sich als unvereinbar. Alles, was Gesine als Vorurteil gegenüber den Schwarzen abtun
wollte, entpuppt sich als Wirklichkeit: Francine lernt nicht,
sie verläßt sich lieber auf Maries Hilfe. Sie kennt nicht
das mittelständische Prinzip der Daseinsvorsorge, der vorausschauenden Planung, das in ihrer normalen Existenz zwecklos
gewesen wäre. Sie lügt und stiehlt und verleugnet am Schluß
die eigene Mutter. Gesine und Marie durchschauen den Not-
wehrcharakter dieser Maßnahmen, aber was nützt es, wenn sie
geduldig ihre eigenen Prinzipien zu vermitteln suchen? Dort,
wo Francine herkommt, würde sie damit scheitern.[1] So wird
der Liberalismus der Cresspahls als klassenspezifisch decouvriert. Ihre differenzierte Moral ist aus der Perspektive der
Unterprivilegierten ein Luxus, den sich nicht leisten kann,
wer dem Kampf ums Dasein so gnadenlos unterworfen ist wie
Francine.
Die Armut beschränkt sich jedoch nicht auf die Neger; Gesine
beobachtet die Not der zahlreichen Emigranten jüdischer Herkunft, die hinter einer notdürftig aufrechterhaltenen Fassade reputierlicher Bürgerlichkeit oft kaum über das Existenz-
minimum verfügen. Professor Kreslil, Gesines Tschechisch-Leh-
rer, steht exemplarisch für diese Bevölkerungsgruppe. Gesine
empfindet die Not des alten Mannes als beschämend; ihre eigene finanziell relativ gesicherte Position wendet sich als
stiller Vorwurf gegen sie.[2]
Die Obere Westseite, die früher einmal bessere Tage gesehen
hat,unterliegt einem langsamen Prozeß des Niedergangs. Noch
begegnet man einander mit Freundlichkeit, ja fast Herzlichkeit;
noch ist der Park eine Oase des Friedens und der Sauberkeit,

----
noch Fußnoten v. S. 48
1) S. 99f.
2) S. 7.
3) S. 709.
----
1) S. 734.
2) S. 1134.

aber es scheint fragwürdig, ob die Idylle von Dauer sein
wird.

Aus der Zeitung entnimmt Gesine, daß Billionen Dollar notwendig wären, um die Not eines Großteils der Bevölkerung zu be-
heben[1] - Beträge, die derzeit der Vietnam-Krieg verschlingt.
Ein latentes Gefühl von Angst befällt Gesine angesichts dieser Meldungen, und sie registriert, daß Marie davon unbe-
rührt bleibt.[2] Verbrechen, Gewalt und Krieg kennzeichnen
das Bild Amerikas. Gesine liest davon in der Zeitung; was sie
persönlich sieht und erlebt, sind die Bilder scheinbarer Ru-
he und langsamen Verfalls.

Abhilfe wird nirgends sichtbar. Die hohlen Phrasen der Poli-
tiker hat Gesine längst durchschaut. Für sie selbst bleibt
nur private Mildtätigkeit: Mit schlechtem Gewissen gibt sie
den Bettlern ein Almosen.

----

1) S. 141.
2) "Marie ist da gar nicht ängstlich, in einem solchen Land"
   (ebd.).

10) Die beiden Gesichter der Stadt New York

Gesine lebt mit ihrer Tochter relativ wohlsituiert am River-
sid Drive am Rande einer großen Parkanlage; mit dem Elend und
den Rassenproblemen kommt sie meist nur indirekt in Berührung. Ihr Blick aus dem Fenster fällt auf Bäume und den Hud-
son River. Gesine betont, daß sie nur durch einen glücklichen
Zufall diese Wohnung fand; ihre finanziellen Mittel hätten
ihr im Grunde nur eine sehr viel bescheidenere Unterkunft erlaubt.[1]
Ihr Weg zur Arbeit führt sie aber an den Slums und an verwahr-
losenden Straßen in ihrer näheren Umgebung vorbei. Dennoch
bleibt es beim distanzierten Betrachten.   Von Verbrechen
und Rassenunruhen liest sie in der Zeitung. Hier erfährt sie,
was in den Ghettos sich abspielt. Ihr Bekanntenkreis rekru-
tiert sich aus europäischen Einwanderern, und nur durch Francine, die einzige schwarze Mitschülerin ihrer Tochter, kommt
sie überhaupt mit "Gefärbten" in Kontakt.
Gesines Sympathien für New York sind unverkennbar, und ihre
Tochter ist hier heimisch geworden. In vielen Details wird
beschrieben, wie "menschlich" die Bewohner der Großstadt miteinander leben. Ein Stromausfall in der U-Bahn löst nicht die
befürchtete Katastrophe aus, da alle Fahrgäste, nicht zuletzt
die schwarzen, Rücksicht gegeneinander üben.[2] Gesine beobachtet die Umsicht eines Busfahrers im dicksten Trubel der rush-
hour.[3] Zu den Inhabern der diversen Läden entwickelt sich
ein fast freundschaftliches Verhältnis. Gesine und Marie gehen nicht unter im Chaos der Millionenstadt. Müßten sie weg
von hier, zumindest Marie würde Heimweh empfinden. Doch Gesine
ist sich der Tatsache bewußt, daß diese Idylle trügt: Sie beschreibt einen Sonntag im Park und kommentiert:

----

1) Vgl. S. 26.
2) Vgl. S. 1227ff.
3) S. 287ff.

"Es ist ein nahezu unschuldiges Bild, in dem Kinder und Spa-
ziergänger leben wie harmlos. Es ist eine Täuschung, und
fühlt sich an wie Heimat. 1)

Aber hinter der friedlichen Fassade hausen Elend und Verbrechen. Gesine liest in der New York Times mit penibler Akku-
ratesse, und sie beharrt auf dem, worüber ein anderer hinweg-
läse: den täglichen Gefallenenziffern des nicht erklärten
Krieges in Vietnam, den Meldungen über Aufstände in den Neger-
vierteln und den Meldungen über die anwachsende Kriminalität.
Die von der Zeitung beschriebene Wirklichkeit ist "realer"
als das freundliche Bild, das sie vor Augen hat.[2] Sie weiß,
daß zwischen dem Krieg, den Rassenproblemen und der Brutali-
sierung des Alltagslebens ein Zusammenhang besteht. Ihr ist
bekannt, wieviel Geld dieser Krieg verschlingt und daß dieses
Geld anderswo fehlt, wo es notwendig wäre zur Sanierung von
Elendsvierteln. Sie erkennt, daß Armut und Unterdrückung zu
Ausbrücken sinnloser Gewalttätigkeit führen. Die wachsende
Tendenz, Konflikte mit Gewalt auszutragen, ist evident, und
sie sieht, daß die staatliche Gewalt machtlos ist gegen das
organisierte Bandentum wie auch gegen die alltäglich gewordenen Verbrechen.
Offensichtlich sucht Gesine bewußt diese dunkelste Seite des
New Yorker Lebens auf, deren unmittelbare Präsenz ihr verborgen bleibt. Sie will wissen, wie es mit einer Gesellschaft
bestellt ist, in der solches geschieht. Nicht noch einmal
will sie durch die Fassade der Wohlanständigkeit betrogen
werden. Vielleicht ist die stereotype Zeitungslektüre ein Kom-
pensationsversuch, mit dem sie wenigstens in Gedanken am
"wirklichen" American life partizipieren will. Daß eine Tendenz
aus Selbstkasteinung in dieser unaufhörlichen Lektüre von
Schreckensmeldungen liegt, ist evident.

----

1) S. 134.
2) Johnson möchte nicht, wie Durzak vermutet, mit Hilfe ein-
   montierter Zeitungsartikel eine Art epischer "Totalität"
   herstellen; es geht ihm nicht darum, ein vollständiges Bild
   der Stadt zu entwerfen, sondern ein "wahres". Daher hat
   alles, was Gesine liest und referiert, seine Wurzeln im
   moralischen Bereich: Sie fühlt sich aus Gewissensgründen

11) Sprechen

"Du willst heute den Mund nicht aufmachen, Gesine?
Die Klappe halten? Keinen Mucks tun?
Es soll typisch sein für New York. Ein Mann hat einen Rekord
von einundzwanzig Tagen Schweigens beschrieben. Es soll ty-
pisch sein für die Entfremdung in New York.
Warum willst du schweigen, Gesine.
Ich mag nichts reden." 1)

Nachdem Gesine aus Gründen, die sie sich selbst kaum einzugestehen wagt[2], die Teilnahme an der Vietnam-Demonstration in
Washington verweigert hat, zieht sie sich tagelang in sich
selbst zurück, ihre Gespräche beschränkt sie auf das Notwen-
digste. (Genau so verhält sich wenig später Marie, nachdem
sie ihre guten Vorsätze vergessen und das Negermädchen Francine
nicht zu ihrer Halloween-Party eingeladen hat. [3] Mit sich
selbst zerfallen, verweigert sie die Kommunikation. Sprechen
hieße: Sich selbst zum Ausdruck zu bringen und in lebendigen
Austausch mit einem anderen Menschen zu treten.

Als Beispiel einer solchen Kommunikation wäre das Gespräch
zu nennen, das die fünfjährige Gesine mit ihrem Vater an den
Gräbern seiner Eltern führt:

"Dat is min Varre und Murre.
Koenen de dor nich rute?
De sünd dor inspunnt föe alle Tiden, Gesine.
Mudding secht de Dodn kämen fri.
Nich hier, Gesine. Nich bi uns.
Ick glöw, ich war nicht dot.
Dat's recht, Gesine. Lat dat bliwn."4)

---

noch Fußnote 2) v. S. 52
    zu dieser Lektüre verpflichtet. (Vgl. Durzak, "Gespräche",
    a.a.O., S. 447ff.).

---

1) S. 210.
2) Vgl. S. 210: "Es bleibt nur noch Eines. Solange ich es
    nicht fertig denke, ist es nicht."
3) Vgl. S. 249.
4) S. 726.

In einfacher, manchmal fast poetischer Sprache werden Wahr-
heiten über Leben und Tod ausgesprochen. Vater und Tochter
führen einen echten Dialog, der Erwachsene geht auf die Fragen des Kindes mit großer Ernsthaftigkeit ein. Trotz des eher
pessimistischen Gesprächsinhalts liegt ein tröstlicher Ton
über dem Ganzen: Gesine soll sich ans Leben halten, das ist
besser.
Am anderen Ende einer denkbaren Skala von Kommunikationsmög-
lichkeiten liegt ein Telefongespräch, das Gesine mit Mrs.
Brewster führt, der Gattin von Maries Arzt, der nach Vietnam
einberufen wurde. In ihrem Redeschwall kommt die Mentalität
der Sprecherin voll zum Ausdruck:

"Miss Gibson war ein bißchen in Tränen, ich wundere mich immer, meinen Mann mögen ganz unglaubliche Leute leiden, und
eine Freundin von ihr hat einen Verlobten, der hat einen Bruder in Viet Nam, der hat ein Foto geschickt, da hat er so eine Kette von abgeschnittenen Ohren von Viet Congs schräg über
der Schulter, und ich habe gesagt Unsinn, erstens sind wir
eine zivilisierte Nation, und zweitens werden die Viet Cong
nicht Rache an Ärzten nehmen, erst recht nicht an meinem
Mann, den mögen ganz unglaubliche Leute gern[...]" 1).

Dem brutalen Faktum der verstümmelten Viet Congs setzt Nrs.
Brewster die Phrase von der "zivilisierten Nation" entgegen,
die ja eben mit jener Tatsache ad absurdum geführt worden
war. Gesine unterläßt es, diese punkt- und absatzlos vorge-
brachte Suada zu kommentieren. Sie selbst kommt niemals zu
Wort; sie liest zwischendurch die Zeitung.

Zwischen diesen Polen möglicher Kommunikation findet sich ein brei-
tes Spektrum von Möglichkeiten, von denen der Roman Gebrauch
macht.
Jerichow, aber auch New York (d.h. Gesines dortiger Lebens-
kreis) werden vorzugsweise mit Hilfe von Gesprächen dargestellt. So redet Jerichow erst über den "britischen Spion",2)
später über den "Klattenpüker" Cresspahl3), und vor allem

---

1) S. 109.
2) S. 410.
3) S. 712.

über "uns Lisbeth". Man kommt dabei vom Hundertsten ins Tau-
sendste; ein gemütlicher Schnack; man geht scherzhaft aufeinander ein und liefert sich gegenseitig Informationen. Zwanglos
reiht sich eine Anekdote oder Episode an die andere, es könnte
unendlich so weitergehen; das eigentliche Thema ist die Herstellung einer communis opinio, die dann konstitutiver Bestandteil des Lebens von Jerichow wird.[1] - Scheinbar ähnlich
verlaufen die (telefonischen) Rundgespräche während der Mittagspause in der Bank, wo aber technisch gestörte Kommunikation
und totales Aneinandervorbeireden dafür sorgen, daß am Ende
des Gesprächs kein "Resultat" steht, keine gemeinsame Meinung,
sondern ein beziehungsloses Nebeneinander, das nicht einmal
zum Austausch von Informationen oder Klatsch taugt.[2] (Potenziert wird diese Kommunikationslosigkeit bei den Parties
im Hause der Gräfin Seydlitz, wo das Reden nur der Decouvrie-
rung des Sprechenden dient.)[3]
Nur noch mit wenigen Menschen führt Gesine in New York sinnvolle Gespräche. Am häufigsten unterhält sie sich mit Marie,
aber ihr wird deutlich, daß der Abstand zur amerikanisierten
Tochter sich Jahr für Jahr vergrößert. Marie beginnt ihre eigenen Wege zu gehen, und in allen Gesprächen ist die Differenz deutlicher zu spüren als das Gemeinsame. Die gängigen
Vorurteile ihrer Umgebung, der Schule, der peer group, sind
stärker als die politische Unterweisung durch die Mutter; Marie akzeptiert die euphemisierende offizielle Sprachregelung
"Gefärbte", die das Elend der Neger übertünchen soll.[4] Gesines Versuch, nach Brechtscher Manier die Wahrheit, die stets
konkret ist, mit Hilfe der Sprache zu verbreiten, ist geschei-
tert. Marie benutzt beiläufig die pejorative Wendung vom
"honest injun"; keine Lederstrumpf-Lektüre vermochte sie gegen das herrschende Vorurteil gegen die Indianer zu immunisieren.[5] Nolens volens teilt Marie die gängige Verachtung

---

1) Als Beispiele für solche "Rundgespräche" wären zu nennen:
   S. 409ff, S. 472ff.
2) S. 160.
3) S. 879ff.
4) Vgl. S. 218.

der Sieger gegenüber den Besiegten. Marie "lebt" mit ihrer
Sprache",[1] wie Gesine feststellt. Nachdem sie die schmerz-
hafte Amputation ihrer ursprünglichen Muttersprache überwun-
den hat, treibt sie ihre Integration ins Milieu der Oberen
Westseite mit großer Beharrlichkeit voran, und Gesine ist sich
darüber im klaren, daß jeder Versuch, in Prag zu einer neuen
Identität zu finden, Marie aus ihrer Sprache, Heimat und
Identität reißen würde.

Sie selbst erlebt ihre eigene Nicht-Identität auch sprachlich:
Zwar lebt sie von Dolmetschen, aber sie gewinnt in der fremden Sprache doch nie ein definitives Gefühl von Sicherheit.
Ihr einziger "persönlicher" Besitz, den sie bei ihrem unfrei-
willigen Umzug ins sechzehnte Stockwerk der Bank mitnimmt,
ist ein Papierstreifen, auf dem ein Satz steht, der ihr ständig die Diskrepanz zwischen der eigenen und der fremden Sprache vor Augen führen soll.[2] Am rückhaltlosesten spricht sie
mit ihrer Freundin, der "Roten Anita" in Berlin. Trotz räum-
licher Distanz wird in den wenigen Telefongesprächen eine Nähe
sichtbar, die sich vor allem in den lockeren, ironischen Ton-
fall manifestiert, der gegenseitiges Einvernehmen voraussetzt.
So in dem Gespräch am 14. April, in dem Anita über die Berliner Demonstration nach dem Attentat auf Rudi Dutschke berichtet:

"-Warst du dabei?
- So als ältere Dame, weißt du, mit fünfunddreißig -
"Ich auch, Anita.
- Ja du ich kann das nicht. Die laufen da gegen die Polizei an
und rufen HO! HO! Ho-tshi-minh! Mir bleiben die Füße weg, ich
krieg den Mund nicht auf.
- Verwandt sind wir ja. Und wieso Ho-tshi-minh? Geht es nicht
um den Anschlag auf Herrn Dutschke?
- Um Rudi Dutschke, und um Herrn Professor Dr. Springer. Der
soll es mit seinen Zeitungen gemacht haben." [3]

----
noch Fußnote v. S. 55
5) S. 550
----
1) S. 551.
2) S. 715 u. S. 779f.
3) S. 988.

Mit ihren Kolleginnen in der Bank verbindet Gesine wenig Gemeinsames. "Woher kommt die Gewißheit, daß wir nur Sprache zwischen
uns haben, und nicht Verständigung", sinniert   Gesine einmal
über ihre rührige Kollegin Amanda.[1]
In dieser Situation, in der Gesine kaum noch ein offenes Gespräch mit einem Partner führt, gewinnt die Tendenz zum Schweigen mehr und mehr die Oberhand. Trotzdem verstummt Gesine
nicht völlig. Sie führt "Gedankengespräche", fiktive Dialoge
mit lebenden oder - öfter noch - mit toten Personen ihrer Umgebung.[2] In diesen Gesprächen wird gesagt, was sonst nicht
zur Sprache kommt:

"Meine Familie war seit fünf Jahrhunderten in Deutschland. Mit
dem langen französischen Brot unterm Arm kam mein Vater nach
Hause. Mein Vater ist -.
Ihr Vater ist von den Deutschen umgebracht worden, Mrs. Blumen-
roth.
Mein Vater ist früh gestorben, Mrs. Cresspahl." [3]
So hätte Mrs. Blumenthal gesprochen, wenn dieser Dialog geführt worden wäre. Es sind denkbare, durchaus mögliche, wenn
auch nicht tatsächliche Gespräche. Manchmal werden sie blickweise geführt, und Gesine setzt sie dann für sich in Worte um:

"Morgen werden Sie mal nicht grüßen, meine Dame. Alle diese
Fisimatenten." [4]

So wäre der unfreundliche Blick des Zeitungsverkäufers zu ver-
balisieren; daß der mürrische Invalide doch auf ihren Gruß
wartet, wird ihr erst deutlich, als sie an einem ihrer Schwei-
getage wortlos die Zeitung bezahlt. [5]
Nicht realiter, nur in Gedanken sagt sie ihrem Verehrer D.E.,
was sie von seiner Liebe hält:

"Du willst nur nicht allein sein, wenn du stirbst." [6]
und sie "hört" sein Gegenargument:

----
1) S. 200.
2) Vgl. dazu auch den Abschnitt "Stimmen" im Kapitel "Das Unbewußte".
3) S. 53.
4) S. 14.
5) S. 211.
6) S. 43.

"Bei mir wäre aber das Kind versorgt." [1)]

Wenn auch der Dialog imaginär ist, er entspricht doch den Kriterien der Wahrheit. Denn so ist Erichsons Mentalität und
Denkweise; indem er das Kind ins Spiel bringt, hofft er sie
zu ködern. Treffsicher hat sie die Zweckrationalität, seinen
hervorstechendsten Charakterzug, erkannt: Er würde, statt über
eigene Gefühle zu sprechen, auf ihre Mutterliebe spekulieren.

Mit derselben intuitiven Einsicht, mit der sie sich in lebende
Personen zu versetzen vermag, denkt sie sich in Tote hinein
und "hört" auch deren Stimmen. Mit ihrem Vater streitet sie
über sein Verhalten während des Dritten Reiches, und sie kann
sich seine Argumente "wahrheitsgetreu" ausmalen. Daß sie der-
artige Dialoge führt, darf als Indiz dafür gewertet werden,
daß noch eine Verständigungsbasis vorhanden ist. Selbst mit
Lisbeth vermag sie noch "Gespräche" führen, obwohl sie von
einem bestimmten Punkt an ihre Mutter nicht mehr versteht.
Mit Amanda dagegen gelingt selbst ein in Gedanken geführtes
Gespräch nicht; hier gibt es keine Gemeinsamkeit mehr. [2)]
Daß Gesine diese fiktiven Gespräche als Ersatz für fehlende
Kommunikation benutzt, zeigt, wie sehr sie sich, trotz aller
Schwierigkeiten, gegen das drohende Verstummen zur Wehr setzt.
Vom gleichen Bemühen zeugen die Tonbänder, die sie für Marie
bespricht. Was die Tochter heute noch nicht verstehen kann,
soll sie später aus dem Mund ihrer Mutter erfahren, damit
sie - anders als Gesine selbst - deren Pläne und Absichten
nicht mühsam erraten muß. Der Dialog zwischen den Generationen soll nicht abreißen. Selbst Gesines geheimste Gedanken,
ihre subjektivsten Empfindungen, teilt sie dem Tonband mit.
Was sie angesichts ihrer abhängigen Situation nicht offen tun
kann: sich "wahr machen", das versucht sie auf den Tonbändern
für Marie. Aber diese Bänder werden ihre Adressatin erst nach
Gesines Tod erreichen. [3)] So hängen ihre Worte gleichsam im
leeren Raum,und es kommt keine Antwort zu Gesine zurück.

----

1) S. 43.
2) "Aber es ist so, ihre Stimme hören wir nicht in Gedanken".

12) Isolation und Entfremdung

"Sie sah verschlafen aus, sie hat seit langem mit Niemandem
groß gesprochen."[1] So der "Genosse Schriftsteller" über seine "Partnerin". Die vierunddreißigjährige Bankangestellte führt
ein zurückgezogenes Leben; außer mit der zehnjährigen Tochter
Marie hat sie nur oberflächliche Kontakte zu den Menschen ihrer Umgebung. Weshalb sie sich so sehr in sich selbst ver-
schließt, bleibt unausgesprochen. Der Leser erfährt nur wenig
von ihren Gefühlen und Empfindungen. Der "Genosse Schriftsteller" vermeidet jede introspektive Einfühlung" in ihr Seelenleben; er beobachtet und registriert, aber er wahrt zugleich
Distanz. Und Gesine selbst spricht nur wenig von sich selbst.
Wenn sie als Erzählerin fungiert, berichtet sie minutiös über
politische oder gesellschaftliche Ereignisse, aber nur indirekt lassen sich ihre jeweiligen emotionalen Reaktionen er-
schließen. So z.B. wenn sie bei der täglichen Zeitungslektüre beiläufig einfließen läßt, daß in der letzten Woche in
Vietnam 2376 Menschen "beruflich am Krieg gestorben" seien.[2]
Nur die pointierte Formulierung verrät ihr Engagement. Aber
sie beschränkt sich auf die kommentierende Wiedergabe von Ta-
gesereignissen, ohne politische Grundsatzerklärung abzugeben.
Die Diskretion des "Genossen Schriftsteller" und seiner Mit-
Erzählerin Gesine erreicht den Höhepunkt, wenn es um Gesines
Verehrer, Professor Erichson, geht. Der hochdotierte Abwehr-
experte der NATO möchte seine mecklenburgische Landmännin
samt Kind heiraten; wie jedoch Gesine letztlich zu ihm steht,
warum sie ihn weder akzeptiert noch ihm definitiv den Laufpaß erteilt, wird nirgends ausgesprochen; vielleicht deshalb

---

noch Fußnote 2) v. S. 58
   (S. 291).
3) S. 385 (für wenn ich tot bin").

---

1) S. 12.
2) S. 88 (Vgl. auch das Kapitel "Sprache").

nicht, weil sich ein derart in der Schwebe befindliches Verhältnis jeder Fixierung entzieht.[1]

Je verschlossener Gesine in ihrer New Yorker Umgebung lebt,
je fragiler ihre zwischenmenschlichen Beziehungen werden,
desto mehr gewinnt die Vergangenheit an Gewicht.
Gesines Bekanntenkreis setzt sich fast ausschließlich aus europäischen Einwanderern zusammen, nur ihre Bürokolleginnen
Amanda und Naomi, mit denen sie engeren Kontakt pflegt, sind
Amerikanerinnen. Wenn Bekanntschaften geschlossen werden,
ist sie offensichtlich der passive Teil: Zufallsbekanntschaf-
ten "bleiben hängen"; flüchtige Bekannte bemühen sich um engeren Kontakt mit ihr, ohne jedoch immer auf Entgegenkommen
zu stoßen. Auch ihr Verhältnis zu Erichson beruht auf einer
ähnlichen "Passivität": Sie läßt es zu, daß er ihr den Hof
macht. Vielleicht geschieht es nur Maries wegen, die D.E. für
sich gewonnen hat. Jede engere Bindung wäre für sie lästig.
Den obligaten small talk im Büro oder bei Parties (die sie
nur selten und mit Widerwillen besucht) absolviert sie aus
reiner Höflichkeit.
Gesine beklagt sich darüber, daß sie durch ihre Arbeit am
"eigentlichen" Leben, an der direkten Partizipation gehindert
wird, so daß ihr die Zeitung als "Wirklichkeitsersatz" dienen
muß. Jedoch ist zu vermerken, daß sie sich nach Feierabend hinter ihrer Zeitung geradezu verschanzt und keinerlei Anstalten
macht, das Versäumte nachzuholen. Auch das regelmäßige Erzählen aus der Jerichower Zeit okkupiert ihre spärliche Freizeit
und bindet sie an ihre Wohnung. Die Gründe für Gesines bewußte
Nicht-Assimilation dürften primär moralischer Art sein:

"An der Wand zwischen unseren Fenstern hängt die Aufnahme einer kalifornischen Hausfrau, die durch ein Telegramm erfuhr
von dem Tod ihres Sohnes in Viet Nam; für die Fotografen setzt
sie sich noch einmal und spielt vor wie sie es liest." [2]

----

1) Zu Gesines unausgesprochenen Gefühlen vgl. das Kapitel
   "Intermittierendes Erzählen".
2) S. 89.

Die Aushöhlung und Korrumpierung individuellster Empfindungen durch die kommerzialisierten Medien steht stellvertretend für jene Art von american life, die sie ablehnt - wohl wissend, daß diese längst nicht mehr auf die Vereinigten Staaten beschränkt ist.

Beim Begräbnis von Robert Kennedy wird deutlich, wie weit Marie schon in den Sog dieser Lebensform hineingeraten ist. Was den Kern persönlicher Identität ausmachen sollte, Freude und Trauer, wird zur "Show" entfremdet.
Das moralische Individuum Gesine, geprägt nach den traditionellen Mustern der Verinnerlichung, muß erkennen, daß Marie, wollte sie ihrer Mutter folgen, an den Gegebenheiten einer opportunistischen Gesellschaft scheitern müßte. Alles, was Gesine mit ihrem Insistieren auf rigoroser Moral erreicht, ist Doppelzüngigkeit. Marie kann nicht so leben, wie ihre Mutter es von ihr verlangt.[1] Sie kann nicht negerfreundlich sein, wenn ihre besten Freundinnen "Gefärbte" ablehnen. Und Gesine, die ihrer Tochter eine Heimat wünscht, so wie sie selbst eine besessen hat, die also den Assimilierungs- und Anpassungsprozeß ihrer Tochter bejahen muß, bleibt nichts anderes übrig, als ohnmächtig zu registrieren, wie das Kind ihr entgleitet.

Dies trifft sie um so härter, als das Kind der einzige Mensch in New York ist, zu dem sie wirklich Vertrauen hat. Ihr erzählt sie (wenn auch auf Tonband, für später), daß sie es noch einmal mit dem Sozialismus versuchen will. Marie ist Adressatin der Jerichow-Erzählungen. Wenn Gesine ihre Tochter verliert (und die Beziehung wird im Lauf der drei Romanteile immer höflich-gezwungener), dann ist sie vollkommen isoliert. Da Gesine - zunächst jedenfalls - keine bessere Zukunft vor sich sieht, ist eine verstärkte Hinwendung zur Vergangenheit die Folge. Der Drang zum Erzählen erhält von hierher eine zusätzliche Motivation. Zwischen Reflexion und Erinnerung verläuft nunmehr Gesines Dasein. Vom unmittelbaren Leben

---

1) Vgl. S. 494.

abgeschnitten, nur durch das Medium der Zeitung mit der Realität verknüpft (und zugleich vor ihr geschützt), lebt sie ein Leben ohne Praxis, ohne Partizipation, fast nur als Beobachterin und Zuschauerin: Ihr Leben, das nur in Variationen des immergleichen Ablaufs existiert; eine Gegenwart, die ihr zerrinnt als die Vergangenheit von morgen:

"Dieser Sommer ist vorüber, das ist unsere zukünftige Vergangenheit."[1]

Trotz aller Einsicht in die gesellschaftlichen Zusammenhänge findet Gesine nicht zum politischen Engagement. Wovor sie sich scheut, sind eventuelle Fehler und Mißgriffe, die "ihrer" Partei oder Gruppe unterlaufen könnten und mit denen sie sich nicht identifizieren mag. Ihre absolute Gesinnungsethik toleriert keinen Irrtum, lieber verzichtet sie auf politische Aktivität.

Ähnliches gilt für zwischenmenschliche Beziehungen. Gesine will (abgesehen von Marie) niemanden mehr lieben, weil sie den Trennungsschmerz fürchtet. In einer Botschaft für Marie spricht sie offen aus: Der Schmerz um Jakob war so groß, daß sie die Wiederholung fürchtet.[2] Um jedes Risiko zu vermeiden, hat sie sich mit einem Mann liiert, der außer der - von ihm schon fast vergessenen - mecklenburgischen Vergangenheit wenig mit ihr gemeinsam hat. D.E. ist als militärischer Berater eines Industrieunternehmens tätig, er gilt als "Technokrat", der Gesines moralische Skrupel belächelt. Er ist Teil der amerikanischen Kriegsmaschinerie; zwar betrachtet er seine Tätigkeit nur als Job, distanziert sich aber nicht unbedingt davon, sondern hält sie für eine Arbeit, die gemacht werden muß.

Marie liebt und bewundert ihn, aber für Gesine bleibt er suspekt, auch wenn seine Hilfe ihr bisweilen unentbehrlich ist.

----

1) S. 90.
2) S. 388.

Eine Liebesgeschichte findet nicht statt. Ob mehr als Furcht
vor der Einsamkeit die beiden verbindet, läßt sich nicht sagen.

Aus finanziellen Gründen ist Gesine gezwungen, ihre Arbeits-
kraft und damit einen Teil ihrer Lebenszeit zu verkaufen. Auch
wenn eine Heirat mit D.E. sie davon befreien könnte, so hält
sie doch daran fest, um ihre persönliche Unabhängigkeit zu
sichern.
Gewährleistet sieht sie diese in ihrer Freizeit, in der Wohnung am Riverside Drive, mit Marie; die Arbeit erscheint ihr
daher primär als Nicht-Freizeit. Während sie in der häusli-
chen Privatheit eine Selbstverwirklichung durchaus für möglich hält (die Einschränkungen, denen sie sich selbst unter-
wirft, zählen offensichtlich nicht), sitzt sie bei ihrer Arbeit "stumm, blind, taub und müde".[1]
Von ihrer Arbeit ist zunächst nur wenig die Rede. Die Fahrt
mit der U-Bahn, das obligate Begrüßungslächeln, oberflächliche
Kontakte zu Kolleginnen, die Mittagspausen - das alles nimmt
breiteren Raum ein als die Beschreibung ihrer offensichtlich
sehr stereotypen Tätigkeit. Die Tatsache, daß von der Arbeit
so wenig die Rede ist, besagt, daß Gesine innerlich keinen
Anteil an ihr nimmt; sie räumt ihr keinen Platz ein in ihren
Gedanken. Trotzdem arbeitet sie pünktlich und fleißig; die
"ererbten" Tugenden der Vorfahren schlagen durch. Sie hat sich
sogar durch den Besuch von Vorlesungen an der Columbia-Univer-
sität fortgebildet. Und so findet sie sich, wider Erwarten,
auf dem Weg zu einer steilen Karriere: Im fünften Stock, in
einem offenen Büroraum, hat sie vor Jahren bei der Bank ange-
fangen[2]; zu Beginn des Romans arbeitet sie als Übersetzerin
im zehnten Stockwerk; dann folgt der Aufstieg von de Rosnys
Gnaden ins sechzehnte Stockwerk[3], und der allmächtige Vize-
Präsident de Rosny stellt für bald einen noch lukrativeren

----
1) S. 821.
2) S. 55.
3) S. 713.

Posten in Aussicht.[1] Gesine, ursprünglich Fremdsprachensekretärin, hat sich durch das Volkswirtschaftsstudium zusätzlich Qualifikationen verschafft, die ihr auch bei der täglichen Zeitungslektüre zugute kommen. Sie ist sich darüber im klaren, daß sie im Dienst des internationalen Finanzkapitals steht und daß sie sich dadurch indirekt schuldig macht. Die Mitschuld am Krieg fällt genau so auf sie wie ehemals auf ihren Vater, der den Flugplatz Mariengabe erbauen half, obwohl er sich über dessen militärische Nutzung im klaren war. Da ihr Anteil jedoch, im Gegensatz zur Arbeit ihres Vaters, unsichtbar bleibt, wird ihr Schuldbewußtsein allenfalls indirekt angesprochen.

Gesine ist sich ihrer Lohnabhängigkeit voll bewußt. Die Angestellte Cresspahl fürchtet nichts mehr als den Verlust ihrer Stellung, weil das für sie und Marie das Ende ihrer derzeitigen Existenz bedeuten würde. Hier liegt der Grund für ihre Bereitschaft, auf de Rosnys recht dubios anmutendes Prag-Abenteuer einzugehen[2]. Die sogenannten "human relations" zwischen de Rosny und ihr durchschaut sie von Anfang an; auch eine privat anmutende Einladung in de Rosnys Landhaus kann sie nicht täuschen, wohl aber Marie[3], das amerikanische Kind, das an die Belohnung der individuellen Tüchtigkeit ihrer Mutter glaubt:

"Marie versteht den ganzen Abend als einen Besuch unter Freunden. Sie hält für möglich, daß Leute in der Arbeit durch Befehlswege und unterschiedliche Vergütung Gewalt über einander haben mögen und dennoch in der freien Zeit einen Umgang haben wie gleiche Menschen. [...] Marie hält das Gespräch vor dem Essen für sorglose Erinnerung an die Arbeit in der fernen Stadt und bemerkt nicht, daß es tatsächlich eine rasante, unbarmherzige Prüfung ist, ob ich das Finanzsystem der C.S.S.R. richtig und vollständig verstanden habe [...] [4]

---

1)"Warten Sie noch knapp vier Monate" (S. 1058).
2) "Eine störrische Angestellte wäre vorgemerkt für die nächste Kürzung der Personalkosten". (S. 619).
3) S. 460ff.
4) S. 462.

Gesine hingegen weiß, daß die scheinbar individuelle Behandlung, die ihr von de Rosny widerfährt, nur als spezielles
Mittel zum besonderen Zweck dient:

"Er putzt und ölt das Teil Maschine. Das Persönliche daran
ist, daß de Rosny in seinem Jahresbericht an die Aktionäre
schreiben kann: Er habe sich um Verbindungen in osteuropäische
Länder bemüht. Das schlägt ihm auch zu Buch ohne Ergebnis." 1)

Entsprechend dienen   de Rosnys "persönliche" Kontakte zum
Chauffeur Arthur nur dazu, dessen Engagement für den Vizepräsidenten zu erhöhen. Und sollte der Chef irgendwann einmal an
der Angestellten Cresspahl persönliches Gefallen finden - die
Episode mit dem weißen Damenschuh im neuen Schreibtisch deutet auf Erotisches hin[2] -, so wäre auch diese Rolle ein Teil
ihrer Funktion als Angestellte. Sie hätte sich zu fügen, so
wie sie sich auch die Überwachung ihres Privatlebens[3] durch
ihren Arbeitgeber zu akzeptieren hat. "Gefragt" würde sie so
wenig wie bei ihrer "Umtopfung"[4] ins 16. Stockwerk oder bei
ihrer Prag-Mission, die sie und ihr Kind aus allen persönlichen Bindungen herausreißen würde. Pflichtgemäß erledigt Gesine auch de Rosnys Sonderaufgaben, aber ohne innere Anteil-
nahme und nach wie vor mit unverhohlener Müdigkeit.[5] Dieses Verhalten erscheint dem Leser, der von Gesines eigenen
tschechischen Plänen weiß, nicht ganz plausibel; er hätte
größeres Engagement von ihr erwartet in einer derartigen
Situation. Die Resignation, die a priori über ihrem Prager
Projekt liegt, bildet gleichsam den düsteren Schatten, den
die kommenden Ereignisse vorauswerfen.
Trotzdem steht im Zentrum ihrer Prager Träume die Vorstellung
autonomer Arbeit:

----
1) S. 620.
2) S. 717.
3) S. 681.
4) S. 713.
5) S. 821.

"Wenn der Sozialismus belassen, oder eingeführt wird.
Das als Arbeit, du wärst nicht nur angestellt zu ihr, sondern auch selbst dabei. 1)

So Gesine im Dialog mit den Toten. Was sie im Sozialismus und
für den Sozialismus tun will, wird nirgends konkretisiert. Nur
ex negativo, in Abgrenzung zur entfremdeten Tätigkeit im kapitalistischen System, entsteht die Vorstellung von Arbeit, mit
der Gesine sich identifizieren könnte.

"Die Mutter hatte aus ihrem Europa Ideen mitgebracht, die sollte das Kind hier gebrauchen. Alle Menschen seien mit gleichen
Rechten ausgestattet, oder zu versehen. Wie konnte Marie danach
handeln? [...] Die Mutter lehrte einen Unterschied zwischen
gerechten und ungerechten Kriegen; wie kann ein Kind von der
Jahreszahl 1811 (Aufstand der Shawnees unter Tecumseh) noch
einmal überleiten auf den amerikanischen Krieg in Viet Nam,
wenn schon der erste Versuch Freundschaften und fast eine
Zensur riskiert hatte? Privat, auf eine nicht verbindliche
Weise gegen den Krieg von heute reden, es ließ sich einrichten,
vielleicht in der Hoffnung, die Mutter werde solch eigensinni-
ges Auftreten auch in der Schule annehmen. Aber die Hoffnung
war ungefähr, es saß die Lüge in Antwort wie Frage wie Ver-
schweigen, und gerade die Lüge wollte die Mutter ausgeschlos-
sen wissen. Begriff sie denn nicht, daß ihr Kodex akzeptiert
war, aber nur in der anderen Sprache möglich, nicht ins Denken
und nicht ins Tun zu übersetzen? Sie selber war nicht ehrlich,
einer Sache Sozialismus wollte sie den Vorzug geben, in einem
kapitalistischen Land arbeitete sie, in einer Bank! Da kann
ein Kind nicht gut den Umzug in den Sozialismus vorschlagen,
eben der Stimmigkeit zuliebe, denn es verlöre seine ganze
Stadt New York mit allen Freunden und Subway und South Ferry
und Bürgermeister Lindsay, und muß es belassen bei der Unred-
lichkeit, die aber nicht sein soll. Dann aber, wenn die Mutter sich wahr macht, unwidersprochen von seiten des Kindes,
und geht für die Sache Sozialismus weg von New York, womög-
lich in diesem Sommer, sitzt die jüngere Cresspahl in der
Tinte, und hat sie anrühren helfen.[...] " 2)

So die fast zwölfjährige Marie über ihre Mutter. Marie ist
nun beinahe so alt wie Gesine es war, als ihr der Schock der
Erkenntnis die bisherige Identität mit sich und ihrer Umgebung nahm. Marie fürchtet diesen Bruch; sie respektiert zwar
den moralischen Rigorismus ihrer Mutter, aber nur als abstrakte

----

1) S. 622.
2) S. 1024f.

Norm, ohne Konsequenzen für ihr Fühlen und Handeln.

Indem die zwölfjährige Gesine 1945 die bittere Wahrheit von
der Kollektivschuld samt ihren Konsequenzen akzeptierte, trieb
sie einen Riß zwischen sich und die Mehrzahl der Deutschen,
die eine solche Verantwortung ablehnte. Aus finanzieller Not
zur äußerlichen Anpassung gezwungen, läßt Gesine ihre radikale Erkenntnis zur bloßen Reservatio mentalis verkommen und
dient - trotz aller Vorbehalte - dem Kapitalismus, obwohl sie
dessen Natur längst durchschaut hat. Nun hofft sie auf ein
"wahres" Leben, das nicht auf verborgenen Vorbehalten beruht,
sondern auf der Kongruenz von Überzeugung und Handeln. Mit
dem Überwechseln ins sozialistische Lager hofft Gesine, den
Riß wieder schließen zu können, der für sie seit dem Sommer
1945 Erkenntnis und äußere Realität, Theorie und Praxis
trennt. Sie hofft auf ein Leben, in dem die Konsequenzen aus
den furchtbaren Ereignissen der Vergangenheit gezogen worden
sind, wo das Unrecht nicht verschleiert, sondern bekämpft
wird. Wiederherstellung der Gerechtigkeit ist für Gesine die
zentrale Kategorie eines wahren Sozialismus[1]; daß er auch
für soziale Gerechtigkeit sorgen werde, ergibt sich als Folge daraus. Im wahren Handeln allein könnte Gesine ihre neue
Identität wiederfinden, die ihr 1945 vom ostdeutschen Sozialismus versprochen, aber nicht gegeben worden war, weil dieser selbst nicht seinen Prinzipien gemäß handelte. Gesine
hofft auf ein Leben ohne Vorbehalte, Verstellung und falsches Schweigen. Authentizität, wie sie Gesine für sich
selbst erstrebt, als Übereinstimmung von Denken, Fühlen,
Sprechen und Handeln, wäre nicht zu erlangen durch Rückkehr
in die (vorgeblich) heile Welt des Ursprungs, sondern durch
richtiges Handeln in einer Welt, die sich der Gerechtigkeit

----
1) "Wenn das wieder anfangen soll in einem sozialistischen
   Land: daß ein Tod nicht von Staats wegen rechtens ist; daß
   zu einem Mord ein Mörder gehört;
   daß die Toten wenigstens ein Recht haben auf die Wahrheit
   ihres Todes;
   daß die Todesfälle durch Gewalt, in der Nacht, im Geheimnis,
   hinter verschlossenen Türen verboten werden, und wenn

verschrieben hat.

noch Fußnote 1) v. S. 67
    nicht verhindert, verurteilt:
    es könnte ja ein Sozialismus anfangen, mit einer in
    Kraft gesetzten Verfassung, mit der Freiheit zu reden,
    zu reisen, über die Verwendung der Produktionsmittel zu
    bestimmen, auch für den Einzelnen.
    Dorogaja Marija, es könnte dennoch ein Anfang sein.
    Für den würde ich arbeiten, aus freien Stücken". (S. 690).

13) Das Unbewußte

a) Vorbemerkung

Gesines Rationalität, das Aussparen aller intimen Momente,
die Reduktion ihres Berichts auf die Sphäre des Bewußten
manifestiert sich erzähltechnisch in der strikten Trennung
der beiden Zeitebenen, die zwar manchmal gemischt[1], nie aber
vermischt werden. Wie die Chronologie wird auch die Syntax
streng beachtet: Gesines Sprache ist korrekt. Indem sie von
sich selbst meist in der dritten Person Singular oder in der
ersten Person Plural redet[2], erzählt sie gleichsam auf
Distanz. Strikt vermieden wird die Introspektion, die den
Leser veranlassen könnte, sich mit ihr zu identifizieren.
Noch in Situationen von höchster Emotionalität berichtet sie
in einer Sprache, die den Sachverhalt so exakt wie möglich
wiedergeben soll. Der Bereich des Persönlichen wird zur er-
zähltechnischen "Leerstelle", deren Ausfüllung dem Leser
überlassen bleibt.[3]

Diese äußerste Beherrschtheit wird jedoch kontrapunktiert
von Zuständen und Verhaltensweisen, die erkennen lassen, mit
welcher Intensität auch auf der Ebene des Gefühls jene Probleme durchlebt werden, die auf der rationalen Ebene Gegenstand ihres Berichts sind. Je distanzierter und beherrschter
Gesine für gewöhnlich erscheint, umso glaubhafter werden die
Durchbrüche des Unbewußten, denen sie bei besonderen Gelegenheiten ausgesetzt ist.

b) "Tagträume"

Vor allem die Eingangskapitel der drei Bände sind es, in denen Gesine sich der sonst von ihr praktizierten rigorosen

---

1) Vgl. den Abschnitt "Die beiden Ebenen" im Kapitel "Intermittierendes Erzählen".
2) Vgl. das Kapitel: "Wer erzählt hier eigentlich?"

Trennung von Gegenwart und Vergangenheit entzieht und träume-
risch-assoziierend inmitten ihrer amerikanischen Gegenwart
Bilder aus der Vergangenheit evoziert. Beschrieben wird jedes
Mal eine Feriensituation, deren Ausnahmecharakter die Abwei-
chung von der Norm rechtfertigt. Und in jedem Fall dient das
Wasser als Medium der Erinnerung: Es schlägt die Brücke zum
Wasser der Ostsee oder zu den anderen Gewässern rund um Jerichow. Losgelöst von den Zwängen der alltäglichen Realität,
von deren Schwere suspendiert im fließenden Element, das zugleich Symbol ist für die verrinnende Zeit, gestattet sich
Gesine die Durchbrechung der Chronologie und läßt ihre Gedanken in die Vergangenheit schweifen. Was in ihr auftaucht, ist
unwillkürliche Erinnerung, und die Vehemenz, mit der diese
in den New Yorker Alltag strömt, läßt erkennen, welche Kraft
notwendig ist, sie tagtäglich beiseitezuschieben.

Es mag überraschen, daß auch Gesine Unbewußtes von der Vergangenheit beherrscht wird. Keine auf die Zukunft gerichteten
Sehnsüchte und Hoffnungen werden wach; sie artikuliert keine
uneingestandenen Wünsche und Hoffnungen. Die These von der
traumatischen Fixierung Gesines an die Vergangenheit wird
durch diesen Sachverhalt erhärtet.
Während die Nichtbeachtung der Chronologie in den Anfangska-
piteln als eine bewußte Konzession an die Feriensituation zu
betrachten ist, wird Gesine in einigen anderen Fällen - und
hier durchaus unfreiwillig - in einen tranceähnlichen Zustand
entrückt, in dem die Barriere zwischen Gegenwart und Vergangenheit niederreißt und Gesine mit furchterregenden Erinnerungen konfrontiert wird, die aus ihrem Unbewußten auftauchen.

Als signifikantestes Beispiel dafür wäre der Tschechischunter-
richt bei Professor Kreslil zu nennen[1]. Gesine schreibt darüber unter dem Datum des 16. November; aber obwohl der

---

noch Fußnote von S. 69
3) Vgl. den Abschnitt "Leerstellen" im Kapitel "Intermittierendes Erzählen".
1) S. 301ff.

Besuch schon am 13. November stattgefunden hat[1], ist das
Tempus, in dem berichtet wird, das Präsens, das dem Bericht
einen iterativen, gleichsam zeitlosen Charakter verleiht:[2]
Gesine tritt, wenn sie die ärmliche Wohnung des im Exil lebenden Professors betritt, in eine Sphäre des déjà vu ein.
Die Haushälterin verwandelt sich in Frau Abs, zu der Gesine nun "zurückgekommen"[3] ist; und so wie in Kreslils Stu-
dierzimmer sah es damals, nach dem Krieg, auch bei Ottje
Stoffregen aus[4]. Der Leser spürt, wie Gesine sich bemüht,
die amerikanische Gegenwart festzuhalten: "Es ist nicht wie
bei Stoffregen"[5]. Sie beschreibt die minutiösen Vorberei-
tungen auf den Unterricht. Aber mit dem Übergang in die
tschechische Sprache gewinnt die Vergangenheit endgültig
den Sieg über die Gegenwart[6]: als Erinnerung an den Russischunterricht in den Jahren nach dem Krieg; dann als Vergegenwärtigung eines - mehrfach erwähnten, aber niemals genauer
erläuterten - Besuches in Prag im Jahre 1962, wo sie wegen
ihrer mangelhaften Sprachkenntnisse befürchten mußte, dem Geheimdienst aufzufallen:

"[...] und immer wieder bringt Kreslil mich mit seinem
Tschechisch in mein Russisch und nimmt sich zurück in einem
sparsamen, strengen Ausdruck und sieht mir mit dieser Mißbil-
ligung beim Schlafen zu, das ist noch ein Nachholkursus in
der Geschichte des Sozialismus, ich habe mich schlafen sehen
auf einem von Blachs Bildern mit leicht vorgekrümmten Schultern und lockerem Hals und hängendem Gesicht wie tot, für ein
einziges Wort Deutsch holt Kreslil mich aus meinem Schlaf
für zehn Dollar und führt mich an der entsetzten Frau Kvatsh-
kova vorbei zur Tür, ich habe nicht russisch nicht deutsch gesprochen, ich sage doch nichts, wie kann ich hier einschlafen.
Wie kann ich schlafen bei diesen Leuten. Weck mich auf." [7]

----

1) Vgl. S. 287ff. (Gesine fährt mit dem Bus zur Ostküste).
2) Es bleibt unklar, wie oft sie schon bei Kreslil war; erwähnt wird ein zweiter Besuch; möglicherweise ging die
   Fahrt am 13. November nicht zur ersten Unterrichtsstunde.
3) S. 302.
4) Ebd.
5) S. 303.
6) In diesem Zusammenhang ist wiederum der Wechsel vom "Wir"
   zum "Ich" zu beobachten. (Vgl. dazu das Kapitel: "Wer erzählt hier eigentlich?")
7) S. 304.

Weggeschwemmt wird die diskursive Sprache vom "stream of consciousness", dem Bilderstrom des Unbewußten, der frei assoziierenden Verknüpfung. Ohne Rücksicht auf inhaltliche Konsequenz und grammatikalische Struktur, in rein parataktischer Reihung, "springt" Gesine von ihrem Ausgangspunkt, einem tschechischen Lehrbuchsatz über die "Häuser fern vom Bahnhof"[1] zurück ins Jahr 1945 (Russischunterricht), dann zum nächstlichen Aufenthalt in Prag im Jahre 1962 und schließlich wieder in die amerikanische Gegenwart, wobei sie aber Reminiszenzen an ihre Zeit mit Jonas Blach[2] (also die frühen fünfziger Jahre) einflicht. Vollkommen asyndetisch, ohne jede grammatikalische und fast ohne jede logische Verknüpfung jagen sich in ihrem Bewußtsein die Bilder und Vorstellungen: Sie ist hier, um Versäumtes nachzuholen, um die verdrängten Erlebnisse aus der Nachkriegszeit aufzuarbeiten und um endlich ihr Verhältnis zum Sozialismus zu klären. Doch statt zu lernen, versinkt sie in einen tranceähnlichen Schlaf; sie schläft in einer Situation höchster Gefahr, wo Wachsamkeit dringendstes Gebot wäre (hier spielen Erinnerungsfetzen an die Nacht auf dem Prager Hauptbahnhof mit hinein). Ihre Angst verwandelt Kreslil in einen tschechischen Geheimdienstagenten, dem gegenüber sie sich durch kein falsches Wort verraten darf: daß ihr Unbewußtes in diesem Zusammenhang Bilder evoziert, auf denen sie schlafend einer Toten gleich, erscheint als folgerichtig. Ob der stumme Schrei "Weck mich auf" an Jakob gerichtet ist, darüber kann der Leser nur Mutmaßungen anstellen.
Als weiteres Beispiel für Gesines "Tranceszustände" soll eine Episode angeführt werden, in der sie, über das Geheimnis des Erinnerns nachdenkend, nachträglich einen für die wichtigen Sachverhalte erkennt: Daß ihre eigene Mutter sie aus

------

1) S. 303.
2) Zu Jonas Blach vgl. Johnsons "Mutmaßungen über Jakob".

religiösem Wahn in einer Regentonne ertrinken lassen wollte. Eingebettet ist dieser Akt des Erinnerns in ein Mittagspausengespräch mit einem Bekannten, der ihr gutes Gedächtnis bewundert und dadurch bei ihr eine Reihe von Assoziationen auslöst, an deren Ende die schreckliche Erkenntnis steht. Gesine, nachdenkend über die Paradoxien des Erinnerns, vergleicht das Gedächtnis mit einer Katze, die sich launisch jedem ungewollten Zugriff entzieht. Unwillkürlich verwandelt sich das gedankliche Bild in konkrete Erinnerung: Sie sieht wieder die Katze vor sich, deretwegen sie als Vierjährige auf die offene Regentonne geklettert war. Das jähe Begreifen, daß ihre Mutter sie habe absichtlich in die Tonne fallen lassen, wird dem Leser zunächst nur aus der Reaktion von Gesines Gesprächspartner deutlich; erst am Schluß, nachdem dieser sich verabschiedet hat, rekapituliert sie noch einmal, was ihr nach dreißig Jahren schockartig bewußt geworden ist:

"Wenn da eine Katze innen am Küchenfenster lag, bin ich auf einen umgestülpten Eimer gestiegen und von da auf die Regentonne. Wenn auf der Tonne der Deckel fehlte, war meine Mutter in der Nähe. Wenn Cresspahl mich herauszog, hat sie zugesehen. Was soll ich dagegen tun!" 1)

Es ist die assoziierende Logik der Träume, die hier zur Geltung kommt und die erkennen läßt, daß die scheinbar vorherrschende Rationalität nur als dünne Schicht über den von schmerzhaften Reminiszenzen erfüllten Tiefen des Halb- und Unbewußten liegt; ein geringfügiger Anstoß genügt, um sie zerbrechen zu lassen. Deutlich zeigt sich dies in Gesines eigentlichen Träumen, von denen sie mehrere referiert[2] und deren Verwandtschaft zur Sphäre der Trancezustände unverkennbar ist: Ihr Thema ist entweder das Sterben (im indirekten Zusammenhang mit Lisbeths Tod) oder die - mißglückte und daher gleichfalls todbringende - Rückkehr nach Jerichow:

"Auf dem Flughafen Newark steht die Maschine ganz allein, weit draußen allein auf der Rollbahn, und will starten. Ich ahne, daß sie TRANSALL ILJUSCHIN heißt. In der Maschine sitzen auf

---

1) S. 65.
2) S. 406 u. S. 419.

Fischkisten lauter abgerissene Männer in Pullovern mit löche-
rigen Norwegermustern. In der Schleife nach dem Start beugt
einer sich vor zu mir, und während ich ihn erkenne, sagt er:
Gesine, tu doch nicht so. Tu nicht so fremd. Du bist genau
wie wir zum Absturz verurteilt."1)

Aber auch in ihren Tonbändern, vor allem den an Marie adres-
sierten, bedient sie sich der assoziierenden Verknüpfung.
Sie rede so unordentlich wie sie denke, konstatiert sie bei-
läufig2) und läßt den Leser erkennen, welche Mühe es sie
kostet, den Anschein von "Normalität" und kühler Distanziertheit zu wahren. Auffällig ist, daß auch die Tonbänder (zumindest vor ihrer Entscheidung für den Prager Sozialismus) um
die Vergangenheit kreisen. Die scheinbar scherzhaft klingen-
de Formel "für wenn ich tot bin",3) unter die sie ihre "Bot-
schaften" an die Tochter stellt, verleiht diesen Aufzeichnun-
gen den Charakter eines Testaments. Wiederum wird die - schon
mehrfach angesprochene - geheime Affinität ihres Unbewußten
zum Tode sichtbar. Wie gefährdet das Individuum Gesine tatsächlich ist, manifestiert sich nirgends deutlicher als in
dieser scheinbar improvisierten Aneinanderreihung von Sätzen:
"Im Herbst 1956 haben sie mich behandelt wie ein Kind, wie eine Wahnsinnige, in Jerichow. Als begriffe ich nicht ihre Lage
Manchmal bin ich so müde, daß ich genau so unordentlich rede
wie ich denke
Ich finde das nicht ordentlich wie ich denke.
Wo ich her bin das gibt es nicht mehr 4).

b) "Stimmen"

Als konstitutives Element von Gesines Erzählen erweist sich
ihr Bewußtsein: Hier kongruieren die Erzählebenen, hier kreu-
zen sich die Fäden des vielfältigen Geflechts, hier hat seinen

---

1) S. 419.
2) S. 386.
3) S. 385.
4) S. 386.

gemeinsamen Ausgangspunkt, was sonst kontrapunktisch einander
gegenübersteht. Hier entscheidet, was Eingang finden soll in
die Gedankenprotokolle; und alles, was aufgenommen wird,
trägt, wenn auch fast unmerklich, die Farbe des Bewußtseins,
durch das es hindurchgegangen ist. Trotz der Hilfsdienste des
"Genossen Schriftsteller" enthält der Roman nichts, was Gesines
Bewußtsein fremd wäre. So erweist es sich als das einigende
Medium, das den scheinbar disparaten Momenten Zusammenhalt
verleiht.

In Frage gestellt wird dieses Bewußtsein letztlich durch sich
selbst. Aus sich erzeugt es die Stimmen, meist die der Toten,
mit denen Gesine freiwillig-unfreiwillig Dialoge führt. Es beginnt als zitierendes Beschwören der verlorenen Vergangenheit:

"Ge - sine Cress-pål
ich peer di dine Hackn dål." [1]

Durch Kursivdruck vom übrigen Text abgehoben, signalisieren
die imaginären Stimmen Dringlichkeit und Intensität. Sie geben
zu erkennen, daß eine zweite, vom normalen Erzählen abgehobene
Ebene eingeschaltet wird. Der Spottvers aus der Kinderzeit,
längst vergessen, doch von der mémoire involontaire in ver-
gleichbarer Situation wieder hervorgebracht, vermittelt, nicht
zuletzt durch den Dialekt, den Anschein von Authentizität: So
muß es gewesen sein.

Gesine, ihren Erzählkünsten mißtrauend, läßt sich von der Toten berichten, wie es "damals" zuging, als "die Großmutter den
Großvater nahm". Wenn es auch Gesines Bewußtsein ist, dem diese Details entstammen, so verleihen doch die fingierten Zitate dem Erzählen den Anschein der "Echtheit".
Die Stimmen erläutern und kommentieren, sie rücken zurecht
und stellen in Frage, sie heben die naive Selbstverständlichkeit des Erzählens auf. Durch die Einschaltung der Stimmen
als zweiter Ebene gewinnt das Werk dramatische Züge, die herkömmlichen Gattungsgrenzen verwischen sich. Im Dialog mit den
Toten oder im ersonnenen Gespräch von damals wird das Vergangene aktualisiert. Dieser formale Sachverhalt kongruiert mit

----
1) S. 8.

dem inhaltlichen Aspekt, daß nämlich die Vergangenheit nicht
abgeschlossen ist, sondern in die Gegenwart weiterwirkt. Die
Probleme von damals sind, mutatis mutandis, dieselben geblieben: Wie man leben kann, ohne schuldig zu werden. Mahnend und
warnend erheben die Toten ihre Stimme und fordern von Gesine
Rechenschaft über ihr Tun und Nichttun. Hier endet die epische Unterordnung des Erzählten unter das mediadisierende Bewußtsein. Je weiter der Gang der Handlung voranschreitet,
desto deutlicher treten die Stimmen hervor. Die schroffe Trennung zwischen Vergangenheits- und Gegenwartsebene wird aufgehoben. Die Stimmen durchbrechen die Zeitmauer und dringen
- gebeten oder ungebeten - in die Gegenwart ein. So "vermitteln" sie zwischen beiden Ebenen; sie sorgen dafür, daß dieselben moralischen Prinzipien auf beiden Ebenen Geltung finden.
Wenn Gesine ihren Vater fragt, ob er 1933 den kommenden Krieg
nicht habe erkennen können, erweist sich die Frage alsbald
als Bumerang: Ist Gesine blind für den Vietnam-Krieg, den
"ihr" Land führt?[1] Vom sicheren Jenseits aus urteilen und
verurteilen die Toten Gesines Halbherzigkeit, ihre Rücksicht-
nahme auf ihr Kind. Sie verhindere nicht, daß ihr Kind sich
den herrschenden Sitten anpaßt und toleriere den allgegenwärtigen Kompromiß. Mehr und mehr "verselbständigen" sich
die Stimmen; sie sagen ihr, was sie sich selbst nicht einzugestehen wagt: Daß auch ihre Prager Pläne von vornherein
zum Scheitern verurteilt sind, daß sie aufgeben soll. Wenn
auch die Stimmen aus ihr selber kommen, so hat sie doch keine Macht über sie. Abgesplittert von ihrem Bewußtsein, gewinnt das personifizierte Über-Ich eine eigene Existenz.

Aggressiv werden die Stimmen zum ersten Mal nach der Vietnam-
Demonstration, an der Gesine nicht teilgenommen hat.[2] Keine
der Antworten, und mag sie noch so plausibel klingen, wird
von den Toten akzeptiert. Sie hat "Auftrag" zu handeln von
den Toten; daß sie es nicht vermag, gilt als ihre persönliche

1) Vgl. das Kapitel "Schuld".
2) S. 206ff.

Schuld. Ist es Laxheit, ist es übertriebener moralischer
Rigorismus, der sie am Handeln hindert? Möglicherweise ist
es sogar Gesines unbewußter eigener Widerstand gegen die
Übermacht der Toten, der als eigentliche Ursache ihre politische Abstinenz bedingt.[1] Sie büßt dafür die Depressionen
als dem Ausdruck persönlichen Schuldgefühls.

Gesine, das moralische Individuum, das sich im Zeitalter der
totalen Unterwerfung des einzelnen unter das jeweilige Ge-
sellschaftssystem ihre persönliche Würde bewahren will, indem
es als Individuum Verantwortung für das gesamtgesellschaft-
liche Geschehen auf sich zu nehmen bereit ist, zahlt den Preis
für die Autonomie: Das mit selbstgewählter Verantwortung be-
ladene Subjekt hält der Belastung nicht stand und droht zu
zerbrechen. Bedrängt vom verselbständigten Gewissen, findet
das Ich kaum noch die Kraft, sich zu bewahren.

----

[1] "Es bleibt nur noch Eines.
    Solange ich es nicht fertig denke, ist es nicht" (S. 210).

14) Umschwung

Nachdem Gesines "Welt", die Wohnung am Riverside Drive, die
Geschäfte, die Bank und die Ausflugsziele dem Leser "vorgeführt" worden sind, gibt es offensichtlich nichts Neues zu
berichten aus diesem eingeschränkten Kreis: Wenn auch kleine-
re Ereignisse für eine gewisse Abwechslung sorgen, mit prinzipiellen Änderungen ist offenbar nicht zu rechnen. In "schlech-
ter Unendlichkeit" (Hegel) könnte es immer so weitergehen. Was
der Leser als Stagnation empfindet (und was manche Kritiker
zu dem Schluß verleitet hat, auf der New-York-Ebene spiele
sich keine selbständige Handlung ab, sie sei nur als Staffage für die handfeste Story auf der Jerichow-Ebene gedacht[1]),
manifestiert sich bei Gesine in Form von Niedergeschlagen-
heit und Depressionen. Im Herbst wird sie von Todesträumen
heimgesucht.[2]
Diese Zustände fallen zeitlich mit ihren Erzählungen über
Lisbeths wachsende Geistesverwirrung zusammen. Den Selbstmord ihrer Mutter erzählt sie gleichsam sich selbst. Im Fie-
bertraum einer schweren Krankheit "erfindet" sie die Details
dieses qualvollen Sterbens; ihrer Tochter verschweigt sie
den gesamten Komplex. Daß Gesine in die Krankheit verfällt,
weil sie keine Widerstandskraft mehr besitzt, darf als symptomatisch betrachtet werden. Doch umgekehrt gilt auch, daß
sie das Fieber offensichtlich braucht, um diesen Tod erzählen zu können. Der Zusammenhang zwischen den beiden Handlungsebenen ist offenkundig, und dem Leser stellt sich die
Frage, ob Gesine in ihrer Ausweglosigkeit einem ähnlichen
Ende wie ihre Mutter zutreibe. In diesem Zusammenhang wird
ihr Neujahrswunsch verständlich: "Daß ich nicht werde
wie meine Mutter!"[3]

----

1) Vgl. z.B. die bereits erwähnte Kritik von S. Bauschinger,
   a.a.O.
2) S. 406 und S. 419 (vgl.auch das vorangegangene Kapitel).
3) S. 537.

Der "Umschwung" vollzieht sich im zweiten Drittel des zu beschreibenden Jahres, in der Mitte des zweiten Bandes (wobei
zu beachten ist, daß das Opus ursprünglich auf drei Bände kon-
zipiert war). Am 7. Februar, im Vorfrühling, schreibt Gesine
einen Brief, adressiert an ihre "liebe Marie, dear Mary,
dorogaja Marija"[1]. Die dreisprachige Anrede deutet die Tendenz der neuen Entwicklung an: Gesine eröffnet ihrer Tochter
"für später", daß sie es noch einmal versuchen will mit dem
Sozialismus, und zwar in Prag.

Der Leser bedarf eines exakten Gedächtnisses, um das auslö-
sende Moment für diesen Umschwung zu rekonstruieren: Unmittelbar nach ihrer Rückkehr aus dem Urlaub, noch in der U-Bahn,
auf dem Weg zur Bank, hatte Gesine in der Zeitung vom gewalt-
samen und mysteriösen Tod des Vertreters einer humanitären
Organisation gelesen[2] - eine Meldung, die ihr wichtig genug
schien, um sie in der Mittagspause ein zweites Mal zu lesen.[3]
Jetzt, ein halbes Jahr später, fühlt sich die tschechische
Regierung verpflichtet, dieses Verbrechen aufzuklären.[4] Gesine hatte bereits mehrfach politische Veränderungen in der
CSSR registriert; doch erst diese Meldung, die ein neues Stre-
ben nach Rechtssicherheit und Gerechtigkeit ankündigt, gab
bei ihr den Ausschlag für ihre Entscheidung.
Inzwischen hatte jedoch schon ein anderer Handlungsstrang
eingesetzt: Ebenfalls kurz nach ihrer Rückkehr aus dem Urlaub
mußte die Angestellte Cresspahl erstmals für den Vizepräsidenten de Rosny Briefe aus Prag übersetzen, in denen von Kre-
diten auf Dollarbasis die Rede war[5]. De Rosny hat längst
seinen Plan gefaßt, die Angestellte Cresspahl als Beauftragte

---

1) S. 687.
2) S. 11.
3) S. 12.
4) S. 689.
5) S. 84f.

der Bank nach Prag zu schicken, bevor der Leser Genaueres davon erfährt.[1] Daß Gesine ihrerseits Prager Pläne hegt, von denen de Rosny nichts ahnt, wird aus ihrem Disput mit den "Stimmen" deutlich.[2] Gleichfalls sehr früh, bereits Anfang Oktober, tritt der mutmaßliche KGB-Agent Dmitri Weiszand in die Handlung ein[3]; Gesine hält ihn von Anfang an für suspekt.[4] Die Kehrseite ihres Entschlusses wird Gesine erst nach und nach deutlich: Da sie von ihrem Vorgesetzten de Rosny beauftragt ist, die politökonomische Situation der CSSR zu analysieren, erkennt sie, welche Konsequenzen ein Vorstoß des amerikanischen Großkapitals auslösen müßte. In doppelter Hinsicht wäre das Experiment der Tschechen gefährdet: Zum einen wäre die Sowjetunion nicht bereit, den Einbruch des Gegners in seine Machtsphäre zu tolerieren, zum anderen: Könnte die CSSR, wenn sie amerikanische Kredite erst einmal genommen hat, noch länger der sozialistische Staat bleiben, der sie zu werden verspricht? So scheint Gesines Hoffnung von Anfang an - und zwar nicht zuletzt durch sie selbst - zum Scheitern verurteilt zu sein.

Persönliche Faktoren treten erschwerend hinzu: Gesine müßte ihre Tochter aus New York fortnehmen, wo sie, mühsam genug, heimisch geworden ist.[5] Sie selbst erkennt beim Besuch eines tschechischen Films, daß die Erinnerung an den Nationalsozialismus und an die Besatzungszeit in der CSSR noch immer lebendig ist; sie würde ihr selbst ein Heimischwerden in Prag unmöglich machen.[6] Dementsprechend ist ihr Zustand, auch nachdem sie ihren Entschluß gefaßt hat, eher depressiv. Nur

---

1) S. 619 ff.
2) Ebd.
3) S. 134ff.
4) S. 145. - Zu fragen bleibt, wie sich der Militärberater Erichson in einer so prekären Situation verhält, wie sie am 21. August 1968 aller Wahrscheinlichkeit nach eintreten wird.
5) Vgl. S. 622.
6) S. 1178ff.

mühsam wehrt sie sich gegen die "Stimmen", die ihr einen Fehlschlag ihres Projekts prophezeihen.[1] Mit D. E. geht sie eine (später zurückgenommene) Wette ein: Wenn ihre Prager Pläne fehlschlagen, soll sie ihn heiraten.[2]

Der – bereits als Möglichkeit sich andeutende – Einmarsch der Truppen des Warschauer Pakts in die CSSR[3] wird Gesine wohl zum zweiten Mal veranlassen, von ihren Hoffnungen auf eine bessere Gesellschaftsordnung Abstand zu nehmen; die Erfahrung des Jahres 1953 werden sich potenzieren. Die Niederlage des moralischen Individuums wäre definitiv[4]. Da ihr jedoch Anpassung aufgrund ihrer absoluten Gesinnungsethek unmöglich wäre, müßte ihre Verzweiflung den Rahmen überschreiten, innerhalb dessen ihr ein Weiterleben noch sinnvoll erscheinen könnte. Vielleicht ist in diesem Sachverhalt einer der Gründe dafür zu sehen, die den Autor bisher daran gehindert haben, den Roman zu vollenden.

----

1) S. 1110ff u. S. 1178ff.
2) S. 683. (Die Wette wird von D. E. in seinem Geburtstagsbrief – S. 818 – zurückgenommen).
3) S. 1110ff.
4) "Wenn auch dies nicht gelingt, gäbe ich auf, D.E.", antwortet Gesine auf Erichsons Vorschlag einer Wette. Und in ihrem Brief an Marie beteuert sie, daß sie "ein letztes Mal" versuchen wolle, etwas Politisches anzufangen.

II. Eine Chronik des zwanzigsten Jahrhunderts

1) Geschichte von unten

"Eine lakonische Studie über Tyrannei" nannte ein Rezensent
den Roman[1]. Beschrieben wird hier das Leben unter vier verschiedenen Regierungsformen und den Zwang, den sie auf das
Individuum ausüben: der liberale Kapitalismus in den USA,
die Weimarer Republik in Deutschland, der Hitler-Faschismus
und der stalinistische Terror in den ersten Nachkriegsjahren.
Beschrieben wird, wie Menschen sich anpassen oder Widerstand
leisten, wie sie kleine Erfolge erringen und vernichtende Nie-
derlagen erleiden. Es ist das Leben der Durchschnittsmenschen,
der kleinen Leute, die manchmal Glück haben, meist aber als
Opfer unter die Räder kommen. Johnson schreibt Geschichte aus
der Perspektive der Betroffenen: Er erzählt, wie eine ganze
Generation dezimiert wird, dem Krieg oder dem Faschismus zum
Opfer fällt, sich selbst verzweifelt den Tod gibt oder von
den sowjetischen Siegern umgebracht wird. Wenn auch viele
überleben, Johnsons "Chronik" deutscher Geschichte macht auf
das Erschreckendste deutlich, wie wenig ein Menschenleben in
den mittleren Dezennien unseres Jahrhunderts wert war.

Aus einer Vielzahl von Lebensläufen baut sich der Jerichow-
Komplex des Romans auf. Der Vergleich mit den regelmäßig wie-
derkehrenden Nebenfiguren Thomas Mannscher Werke legt sich
nahe. Während diese jedoch durch stereotype Redensarten und
Verhaltensweisen gekennzeichnet sind, an deren Unveränder-
lichkeit sich als Kontrast der Fortgang der Haupthandlung ab-
lesen läßt, wird auch Johnsons Nebenfiguren eine eigene Entwicklung zuerteilt. Welcher Abstand liegt zwischen der Leslie
Danzmann von 1931, die ihrer jüngeren Freundin Lisbeth einen

---

1) Karl Heinz Bohrer (in: Frankfurter Allgemeine Zeitung
   vom 22. September 1970).

Dienst erweist, und der alten Frau, die 1968 einen absender-
losen Brief an die Tochter dieser Freundin nach Amerika
schreibt![1] Aus einem Mosaik zahlreicher Einzelschicksale von
individueller Prägung setzt sich die deutsche Geschichte in
unserem Jahrhundert zusammen. In dieser minutiösen Kleinarbeit,
die freilich das aufmerksame Mitdenken des Lesers voraussetzt,
liegt die Überzeugungskraft des Romans begründet. Der Leser,
sofern er die Fülle der Namen noch richtig einzuordnen vermag,
gewinnt den Eindruck eines dichten Netzes von sozialen Beziehungen; die dargestellten Fälle ließen sich beliebig vermehren
zum Totalgemälde einer Geschichte, die keine Sieger kennt.
Am glücklichsten sind diejenigen, die ihre Position bewahren
konnten - und dies zumeist auf Kosten der anderen. "Verloren"
haben die meisten; es gibt kaum ein hoffnungsvolles Leben, das
nicht dem Druck der Verhältnisse zum Opfer fiel.

Stellvertretend für viele andere sei Gesine Redebrecht angeführt, Cresspahls erste Liebe, die er nicht heiraten durfte,
weil er das Kind von Tagelöhnern, sie aber die Enkelin des
Meisters war. Als er sie nach Jahren wiedertrifft[2], arbeitet
sie - nach einer unglücklichen Ehe mit einem Trinker - als Be-
dienung in einem Lokal, müde, abgehetzt, hoffnungslos. Und er,
ähnlich hoffnungslos, wenn auch äußerlich besser situiert,
in einer zerrütteten Ehe mit Lisbeth, trinkt gleichfalls. Was
wäre aus beiden geworden, hätten sie damals einander heiraten
dürfen? Versäumte Möglichkeiten, zerstörte Leben, über die ein
gleichgültiges Schicksal hinweggeht.
Dem Leser stellt sich die Sinnfrage, die durch den fragmentari-
schen Charakter des Werks noch verstärkt wird. Cresspahl, der
durch den Faschismus seine Frau verloren hat, wird von den
Sowjets in ein Straflager eingeliefert, wo er unter unsäg-
lichen Qualen dahinvegetiert. Am Schluß des dritten Bandes (genauer gesagt, des 1. Halbbandes von Teil 3) ist noch kein

---

1) S. 941ff.
2) S. 726f. Zu Cresspahls Liebe zu Gesine Redebrecht vgl.
   S. 217 u. S. 1286; die erstgenannte Stelle gibt Hinweise

Ende der Qualen in Sicht. Gehört die Befreiung und das große
Aufatmen zu den obligaten Klischees der Literatur, des 'sozialistischen Realismus', so führt Johnson seinen Protagonisten
nur noch tiefer in die Misere. Die Frage nach dem Sinn des Lei-
dens bleibt unbeantwortet.
Nachdrücklich verwiesen wird jedoch auf die Pflicht zur Sühne:
Mit pendantischer Akribie notiert Gesine jede Meldung über die
Existenz und das Treiben neonazistischer Gruppen in der Bundesrepublik und über westdeutsche Prozesse gegen NS-Täter.
Gesines Bilanz ist negativ für die Bundesrepublik: Viele Taten bleiben ungesühnt. Um so stärker hofft sie auf die Rehabi-
litierung der Stalin-Opfer in der CSSR und auf die Bestrafung
der Schuldigen. Da für sie das Gewesene noch lebendig in die
Gegenwart hineinragt, wäre ihr erstes Kriterium für einen
Staat, der ihren moralischen Anforderungen genügte, daß er
sich selbst mit seiner Vergangenheit ins reine gebracht hätte,
daß das Unrecht bestraft und die Gerechtigkeit wiederherge-
stellt wird.[1]

----
noch Fußnote 2) v. S. 83
     über Gesine Redebrechts mutmaßliches späteres Schicksal.

----
1) Aus diesem Kontext erklärt ihr Ärger über die törichte
   Swetlana Stalina, deren Memoiren ihr absolutes Unvermögen
   ausdrücken, die Person und die Taten Stalins zu begreifen.

2) "Das Volk"

Johnsons Geschichtsschreibung "von unten" erscheint zwar auch
als die Geschichte von Individuen, primär aber als die von
sozialen Gruppen; als prägnantes Beispiel bietet sich die
bäuerlich-kleinbürgerliche Bevölkerung von Jerichow an, die
vom Erzähler meist als geschlossene Gruppierung mit mehr oder
weniger homogenen Verhaltensweisen dargestellt wird.
Bereits bei seinem ersten Besuch lernt Cresspahl die sozialen
Mißstände der mecklenburgischen Provinzstadt kennen:

"Die Ritterschaft hatte den Bauern, die das Land urbar gemacht
hatten, ihre Höfe genommen, ihre Felder den eigenen zugeschla-
gen, sie leibeigen gemacht, und das schwächliche, über die Ohren verschuldete Fürstenhaus hatte ihnen das Recht dazu im grund -
setzlichen Erbvergleich von 1755 bestätigt. Von den Dörfern,
die Jerichow stark gemacht hatten, gab es noch drei, winzige,
ärmliche Siedlungen. In diesem Winkel regierte der Adel, Arbeitgeber, Bürgermeister, Gerichtsherr über seine Tagelöhner,
als Raubritter berühmt geworden, als Unternehmer wohlhabend."1)

Historisch begründete Abhängigkeitsverhältnisse reichen bis
tief in die Gegenwart hinein; das ist der Boden, auf dem Nationalsozialismus später Wurzeln schlagen wird. Hier herrscht
der geschäftstüchtige Papenbrock, Gesines Großvater, der all-
zuschnell bereit ist, mit den neuen Machthabern seinen Kompromiß zu schließen, und dessen Söhne offen zum Faschismus ten-
dieren. Die Kirche, einerseits verkörpert durch den national-
konservativen Methling, andereseits durch Pfarrer Brüshaver,
Mitglied der Bekennenden Kirche, ist zu schwach, um Widerstand
zu leisten. Wo sie es, wie Brüshaver, ernsthaft versucht,
steht ihr nur der Weg ins Konzentrationslager offen.
Eng, geduckt, unfrei nach innen und außen, präsentiert sich
diese Kleinstadt, voll Klatschsucht, Rancüne und Zank, zugleich aber bereit, alles totzuschweigen, was der eigenen Be-
quemlichkeit Abbruch tun könnte. Heimatbündler breiten den

---

1) S. 31.

Boden für faschistisches Gedankengut. Man toleriert die Nazis,
solange sie nur im Nachbarort, nicht in Jerichow selbst, einen
Mann zu Tode prügeln.

Bei Lisbeths Begräbnis findet Pastor Brüshaver erstmals den
Mut, die kollektive Mitverantwortung der Bewohnung von Jerichow
auszusprechen:

"Hingegen ging es die Bürger von Jerichow sehr wohl an, daß
Lisbeth Cresspahl gestorben war. Sie hatten mitgewirkt an dem
Leben, das sie nicht ertragen konnte. [...] Er fing an mit Voß,
der in Rande zu Tode gepeitscht worden war, er vergaß weder
die Verstümmelung Methfessels im Konzentrationslager noch den
Tod des eigenen Sohnes im Krieg gegen die spanische Regierung,
bis er in der Mittwochnacht vor dem Tannebaumschen Laden an-
gelangt war. Gleichgültigkeit. Duldung. Gewinnsucht. Verrat.
[...] Wo alle Gottes immerwährendes Angebot zu neuem Leben
nicht angenommen hätten, habe ein Mensch allein darauf nicht
mehr vertrauen können. [...] 1)

Brüshaver, der nun endlich "aufgewacht"[2] ist und sich auf seine wahre seelsorgerische Pflicht besinnt, nimmt sich selbst
nicht aus von der allgemeinen Schuld, dem Egoismus, der zu
Anpassung und falscher Duldsamkeit führt.

Dabei ist Jerichow keineswegs faschistisch im engeren Sinn.
Die aktiven Nazis kommen von außerhalb (Jansen, Ossi Rahn, "Robert Papenbrock"); die Jerichower Nazis wenden der Bewegung
den Rücken, nachdem sie ihr Ziel erreicht haben: Der Acker-
bürger Griem widmet sich der Landwirtschaft, und Horst Papenbrock befreit sich von der väterlichen Kandare und benötigt
dann nicht mehr als Kompensation die brutalen Riten der neuen
Machthaber. Die Verbrechen, die Brüshaver nennt, werden, wie
erwähnt, von "auswärtigen" Nazis begangen.[3]

Doch die Bürger von Jerichow haben das Unrecht geduldet, sie
haben dazu geschwiegen. Und - was Brüshaver nur erwähnt -
sie versuchen am Faschismus zu profitieren. Johnsons "typische" Jerichower sind zumeist Handwerker und Kaufleute:

----

1) S. 760f.
2) S. 761.
3) Horst Papenbrocks Beteiligung an der Ermordung von Voss ist
   (lt. "Anhang" am Schluß des zweiten Bandes) unbewiesen, ja
   "nicht einmal wahrscheinlich" (Vgl. "Jahrestage", Bd.2, S.VIII).

Schneider Pahl biedert sich bei der SA an, um ins Uniformge-
schäft einsteigen zu können; Köpcke, Swenson und nicht zuletzt
Cresspahl selbst verdienen am Rüstungsgeschäft; Globen mit
den neuen deutschen Grenzen bilden den Verkaufsschlager der
Papierhandlung Maass. Der kleinbürgerliche Charakter der Bevölkerung dieser Provinzstadt liegt auf der Hand. Es ist eine Gemeinschaft der Besitzenden (wenn auch nicht der Reichen),
die bestrebt sind, ihr Eigentum über die schweren Zeiten zu
bringen. Symptomatisch ist das Verhalten gegenüber den Flücht-
lingen, denen die Einheimischen mit ablehnender Hartherzig-
keit begegnen. (Daß Schneider Pahl bei Kriegsende lieber
Selbstmord begeht, als das ungewisse Los eines Heimatlosen
auf sich zu nehmen, wird von hier her verständlich.)[1]
Den meisten Angehörigen dieser Schicht gelingt es, ihren
Besitz und ihre gesellschaftliche Position über Krieg und
Nachkriegszeit hinweg zu retten. Nach 1945 scheint sich de
facto nichts verändert zu haben, und in den Parteien, die der
sowjetische Stadtkommandand Pontij gründen läßt, finden sich
die altbekannten Namen wieder als Interessenvertreter der jeweiligen gesellschaftlichen Schicht.[2]
Cresspahls Versuche, dem gemeinsamen Wohl zu dienen, werden
als Anbiederungsversuche bei der verhaßten sowjetischen Besatzungsmacht diffamiert. Auch in Ausnahmesituationen können
die Jerichower Kleinbürger nur in Kategorien des Privateigen-
tums denken: Sie wagen es nicht - trotz größter eigener Not
und ungesicherter Zukunft -, die Äcker der geflohenen adli-
gen Großgrundbesitzer abzuernten; so groß ist die Hemmung,
sich an fremdem Besitztum zu vergreifen. Mühsam muß Cresspahl
eine Erntetruppe aus Flüchtlingsfrauen und -kindern zusammen-
stellen, um auf diese Weise die Versorgung der Stadt im Win-
ter zu sichern.[3] Cresspahl, der sich für Jerichow aufopfert

----
1) S. 1000.
2) Vgl. die Beschreibung, wie auf Pontijs Geheiß verschiedene
   Parteien gegründet werden (S. 1355ff). Ihre Gründungsmit-
   glieder sind die örtlichen Vertreter der verschiedenen gesellschaftlichen Gruppen. - Noch deutlicher wird die trotz
   Krieg, "Zusammenbruch" und "Neuer Ordnung" kaum veränderte
   gesellschaftliche Situation in Jerichow in dem separat

("Einer muß es doch machen")[1] gilt als "Russenknecht".

Daß selbst 20 Jahre DDR-Sozialismus an Jerichow nicht viel zu
ändern vermögen, wird aus dem Brief des Rats der Stadt Gneez
deutlich, den Gesine auf eine Anfrage hin erhält: Die Namen der
Unterzeichner sind - mit einer Ausnahme - dieselben geblieben[2], die Haupteigenschaft der Jerichower scheint in ihrem
Beharrungsvermögen zu beruhen, mit dessen Hilfe sie alle Re-
gierungen überdauern.

Der Metropole New York fehlt die soziale Homogenität der mecklenburgischen Provinzstadt. Wohl gibt es Gruppenmentalitäten:
die wohlerzogene Freundlichkeit der Riverside-Bewohner, die im
Gegensatz zur aggressiven Destruktivität der Slum-Insassen
steht. Es gibt typisches U-Bahn-Verhalten, es gibt den obligaten small talk im Büro. Aber kann man hier, z.B. angesichts
des Vietnam-Kriegs, von kollektiver Mitschuld sprechen? Deutlich wird die Tendenz zur kollektiven Verdrängung: In einer
Sequenz von Gesprächen, die im Zusammenhang mit Farbfotos
über den Krieg in einer Illustrierten stehen, wird die Abwehr
erkennbar, die die Bilder mit ihren blutroten Farben erwecken.[3]
Doch angesichts diffuser Gruppenstrukturen verdünnt sich auch
die Verantwortungsbereitschaft für Ganze - die Schuld wird weniger konkret, weniger zurechenbar, sie wird irrationaler.

----

noch Fußnote 2) v. S. 87
    veröffentlichten Passus. "Als Gesine Cresspahl ein Waisen-
kind war" (a.a.O.), der die Verhältnisse im Herbst und Win-
ter 1946 beschreibt.
3) Vgl. S. 1098ff.

----

1) S. 1195.
2) Auf Gesines Anfrage nach jüdischen Badegästen vor 1933, nicht
zufällig vom letzten Ferientag datierend, antwortet im November (S.382ff) der Rat des Kreises Gneez in ebenso um-
ständlicher wie arroganter Form. Unterzeichner dieses Briefes sind: "Schlettlich.Klug.Susemihl.Kraczinski.Methfessel"
(S.385). - Wie aus Leslie Danzmanns anonymem Brief (S.941ff)
zu erfahren ist, handelt es sich nur bei Schlettlich um einen Nicht-Einheimischen. "Klug" ist demnach der Enkel der
mehrfach erwähnten "Oma Klug" (S. 358f); "Susemihl" ist der
junge Sozialdemokrat, der 1933 bei Cresspahl in Richmond Zuflucht suchte (S. 376ff); "Kraczinski" ist der Sohn des

3) Repräsentationsfiguren

Dem Volk, das die Geschichte teils duldend, teils in opportu-
nistischer Anpassung mitvollzieht, begegnet die politische
Macht in Gestalt lokaler Repräsentanten; so "verkörpert" Papenbrock die feudal-kapitalistischen de-facto-Machtverhältnisse
der Weimarer Republik, Friedrich Jansen kann als typischer
Vertreter des Nationalsozialismus gelten, Pontij ist gleichsam ein kleiner Stalin, und wenn de Rosny den Mund aufmacht,
dann spricht "das Geld selbst"[1]. Sie besitzen nicht nur die
Macht; in ihnen manifestieren sich die vorherrschenden Tendenzen ihrer Epoche. Insofern ist ihr Charakter, bei allen
individuellen Zügen, die sie durchaus besitzen, durchaus So-
zialcharakter: De Rosny gibt sich smart, sportlich, lässig,
ein geschmeidiger Kämpfer, dem nichts unter die Haut geht.
Papenbrock ist der Möchtegern-Aristokrat, der autoritäre Pa-
triarch; wenn er auch in gewissen Grenzen rational argumen-
tiert, so vermag er keinesfalls das Ganze zu durchschauen,
und schließlich unterliegt er doch den braunen Machthabern.
Friedrich Jansen ist dumm, brutal und eitel, er rangiert in
der moralischen Skala noch hinter dem zutiefst widersprüchlichen Pontij, der, bald sentimental, bald cholerisch, seine
unberechenbare Herrschaft ausübt.
Alle vier Personen lassen sich als Idealtypen (im Sinne Max
Webers[2]) betrachten; prototypisch vereinigen sie die signi-
fikanten Eigenschaften des jeweiligen politisch-gesellschaft-
lichen Systems in sich. Wahrscheinlich verdanken sie ihre

----

noch Fußnote 2) v. S. 88
   nationalsozialistischen Staatsanwalts, der 1937 den Prozeß gegen Warning und Hagemeister führte (S. 596ff); und
   bei "Methfessel" dürfte es sich um den Sohn des im KZ zum
   Krüppel geschlagenen Schlachtermeisters aus Jerichow handeln (S. 362).Ob Freund oder Feind, ob vor dreißig Jahren
   diesem oder jenem Lager angehörig, sie(oder ihre Kinder und
   Enkel) leben noch immer in und um Jerichow und stellen auf
   diese bei Weise die Kontinuität her gemäß dem mecklenburgischen Prinzip: Es bleibt alles so, wie es ist.
3) S. 695ff.

"Karriere" dieser Kongruenz mit dem politischen System. Dif-
ferenzlos fügen sie sich in die herrschenden Verhältnisse ein.
Es gibt keinen Widerspruch in ihrer Natur (auch nicht bei
Pontij, zu dessen Natur eben die Paradoxie gehört); sie sind,
was sie scheinen, sie sind durch und durch mit sich selbst
und dem herrschenden System identisch. Das System trägt sie,
aber zugleich tragen sie das System, das undenkbar wäre ohne
eine Vielzahl kleiner und großer Pontijs, Papenbrocks, Jansens oder de Rosnys.

a) Papenbrock

Es seien keine Waffen im Haus versteckt, versichert der Guts-
pächter den nachforschenden Mitgliedern des Soldatenrats,
die - nicht zu Unrecht - in ihm einen Sympathisanten des
Kapp-Putsches vermuten; er gebe ihnen darauf sein Ehrenwort
als Offizier.[1] Die pseudoaristokratische Attitude entpuppt sich jedoch als Bluff: Papenbrock ist kein Adliger, er
hat nur Geld, mit dessen Hilfe er sich Macht und Ansehen er-
kauft. Und wo die Waffen versteckt sind, erfahren die Soldaten von der zu absoluter Wahrheitsliebe erzogenen Tochter
Lisbeth. Ein jovialer, scheinbar gemütlicher Zeitgenosse, der
aber unbarmherzig seinen Schuldnern auf den Leib rückt; der
bedenkenlos aufkauft, was ihm im Wege steht. Dem aufkommen-
den Faschismus begegnet er mit Skepsis, versäumt es aber,
zur wirtschaftlichen auch die politische Macht zu gewinnen
und sieht sich schließlich von den neuen Machthabern abge-
halftert - ein Schicksal, das er mit den meisten Großen der
Weimarer Republik teilt.

Fußnoten v. S. 89
1) S. 465.
2) Vgl. Max Weber: Die "Objektivität" sozialwissenschaftlicher
   Erkenntnis. In: M.W.: Soziologie. Weltgeschichtliche Analysen. Politik. Hrsg. v. Johannes Winkelmann. Stuttgart
   (1956), S. 186-262 (nähere Erläuterung des "Idealtypus"
   S. 234ff.).
----
1) S. 57.

b) J̲a̲n̲s̲e̲n̲

"Friedrich Jansen war 1938 fünf Jahre Bürgermeister von
Jerichow gewesen, und Cresspahl hatte ihn ausgiebig angesehen.
Er hätte den als Schwein beschrieben. Nicht im deutschen Sinn
des Wortes, schlicht wegen seiner Ähnlichkeit. Da war Jansens
rosige Länge, obendrein weißlich behaart, die schweren
Schenkel, nicht wuchtig sondern wabbelig, die massigen Arme,
ansehnlich auf den ersten Blick, weichmusklig auf den zweiten, und am ganzen Leibe das zarte ängstliche Fett, angesammelt
in sechsunddreißig Jahren ohne handfeste Arbeit. Das reichte
Cresspahl nicht, ihn ein Schwein zu nennen; vielleicht war
ihm das mecklenburgische Wort dafür zu schade. Er nannte ihn
beim vollen Namen, mit einem gewissen Ernst. Damit tat er dem
Vertreter der Hitlerpartei größeren Schaden, und billiger."1)

Ein verkrachter Student der Rechte, der ohne die Machtergrei-
fung und ohne die Protektion seiner Parteigenossen ruiniert
gewesen wäre.2) Friedrich Jansen verabscheut die Arbeit, die
körperliche, die ihm Qualen bereitet, und die geistige, für
die ihm die Konsequenz fehlt. Zum Glück erledigen die Jerichower Kommunalbeamten, die sein sozialdemokratischer Amtsvor-
gänger instruiert hat, die anfallenden Arbeiten selbständig,
so daß Jansen für seine Tätigkeit als Bürgermeister wenig
Mühe aufbringen muß.3)
Der große, kräftige Mann erscheint als Prototyp des Anfüh-
rers, bringt jedoch weiter nichts zustande als ein kleines
Kunststück: Wenn er seine Beine spreizt, beträgt der Abstand
zwischen ihnen unfehlbar einen Meter.4) Entsprechend beschrän-
ken sich seine politischen Fähigkeiten auf das Ausspielen von
Beziehungen, auf Saufabende und hauptsächlich auf Denunzia-
tionen; es bleibt bei der Fassade einer Tätigkeit, die ihm
für einige Jahre einen Posten sichert, bis er schließlich
selbst in der Partei untragbar wird. Hohle Phrasen und
Gebrüll ersetzen die mangelnde Sachkenntnis, und aus reiner
Angeberei erschießt er in der "Reichskristallnacht" die kleine Tochter des letzten in Jerichow ansässigen Juden.

----
1) S. 663.
2) S. 664.
3) Ebd.
4) S. 664f.

Hinter dieser sozialpsychologisch überaus glaubhaft beschriebenen Erscheinung tauchen zahllose andere verkrachte
Existenzen auf, die den Nationalsozialismus tragen helfen,
weil er ihnen Macht und gesichertes Einkommen verspricht. Der
großsprecherisch-brutale Charakter eines ganzen Systems wird
deutlich in diesem einen Menschen, zugleich aber auch das Verhältnis der "normalen" Bürger zu diesem System. Sie verspotten
Jansen heimlich, aber niemand leistet ernsthaften Widerstand
gegen ihn. Vor allem: Alles läuft in geordneten Bahnen, ohne
daß Jansen selbst etwas tun müßte. Keinesfalls bricht infol-
ge seiner Unfähigkeit der Verwaltungsapparat zusammen, vielmehr sind es ausgerechnet die nichtfaschistischen, sondern
schlicht deutschen Tugenden des Gehorsams und der Pflichter-
füllung, die dafür sorgen, daß ein Friedrich Jansen und das
durch ihn verkörperte System sich so lange halten können.

c) Pontij

"In Waren hatte ein Gegner der Nazis, bis zuletzt der 'rote
Apotheker' genannt, eine ganze Nacht gefeiert mit seinen Be-
freiern aus der Sowjetunion, bis sie doch allen Frauen im Haus
Gewalt antaten und die Familie sich ums Leben brachte mit der
giftigen Medizin, die gar nicht für solchen Zweck gespart
worden war; die Nachricht saß fest an einem Namen, einem Marktplatz, einem Geschäft unten in einem Giebelhaus." 1)

Die Rote Armee war ins Land gekommen mit den Anspruch, die
Hitler-Barbarei durch eine neue, bessere Ordnung zu ersetzen.
Doch die Gewalt der neuen Machthaber erweist sich als nicht weniger brutal als die ihrer Vorgänger; Willkür und Grausamkeit
sind an der Tagesordnung, und Cresspahl kämpft seinen Sisyphus-
Kampf ums tägliche Brot der Einwohner von Jerichow. Pontij
droht "seinem" Bürgermeister permanent mit Erschießen und

1) S. 1030 .

trinkt dann wieder mit ihm die halbe Nacht. In der Schule
hängen statt der Nazisprüche die Stalinworte[1]; beide
sind sprachlich (geschraubte Genitiv-Konstruktionen) und in
der graphischen Anordnung einander durchaus ähnlich. Die
KZs, die Cresspahl im Zuge seiner Spionangetätigkeit auf-
spürte und den Engländern mitteilte, dienen jetzt als Lager für politische Gefangene der Sowjets, und Cresspahl lernt
sie bald von innen kennen - Pontij, der im Rausch zu viel
Privates ausgeplaudert hat[2], beschuldigt seinen Bürgermeister
der Wirtschaftssabotage, was unter damaligen Verhältnissen
indirekt einem Todesurteil gleichkommt.

c) de Rosny

Er setzt sich auf seinem Stuhl zurecht, er lehnt sich vor, er
stützt die Ellenbogen gegen seinen Damast, er legt die Hände
aneinander, fast faltet er sie, und er blickt Marie ernst an.
Er gibt sich die Mühe eines Schauspielers, der den Arzt am
Bett eines Schwerkranken darstellen soll. Auch seine Stimme
ist tiefer geworden. - We: sagt er, und hält inne, als müsse
er um der besseren Sorgfalt willen noch einmal alles erwägen.
Jetzt ist Marie erschrocken. Das Geld selbst spricht mit ihr,
und das Geld sieht sie an aus festen und besorgten Blauau-
gen, während es ihr ins Gesicht spricht." [3]

De Rosny (ohne Vornamen), der allmächtige Vizepräsident der
Bank, in der Gesine arbeitet, der dieses ländlich wirkende
Familienunternehmen[4] nur aus einer seiner unergründlichen
Launen heraus übernommen hatte und nebenher noch so manches
gigantische Geschäft betreibt[5]: Gesine, die beim ersten Zu-
sammentreffen einen älteren Herrn erwartet hatte, ist über-
rascht von der lässigen Dynamik ihres persönlichen Brotge-
bers; mit Charme und Geschenken wirbt er um die Gunst der

---

1) Vgl. S. 1354.
2) Vgl. dazu das Kapitel "Intermittierendes Erzählen".
3) S. 465.
4) Vgl. S. 1049ff.
5) Vgl. S. 1007.

Familie Cresspahl, zumal um die Maries, und mit seiner scheinbaren Aufrichtigkeit gelingt es ihm, ihr Vertrauen zu erwerben.
Sie glaubt ihm, daß er den Krieg in Vietnam lieber heute als
morgen beendet sähe:

"If Mr. Johnson were to announce defeat in Viet Nam and cut-
ting of our loses, the market would jump 50 points."[1]

Die ökonomische Rationalität überzeugt; Marie ist bereit, ihm
sein nachfolgendes Bekenntnis zu menschlichen Gefühlen auch
noch abzunehmen: "Bankers have human feelings too."[2]
Kumpelhaft unterhält er sich mit seinem schwarzen Chauffeur,
Arthur, der, ungeachtet seiner Rassenzugehörigkeit, durchaus
in mittelständischen Verhältnissen lebt: ein - scheinbar -
Gleichberechtigter, der nur aus beruflichen Gründen den Diener spielt, und auch dies nur vor Fremden; "in Wirklichkeit"
verkehrt er von Mensch zu Mensch mit seinem Chef. Die Gleichberechtigung hört jedoch beim Geld auf: als Arthur den allwissenden Bankier um einen Aktientipp bittet, sieht er sich
plötzlich in seine Schranken verwiesen. Und de Rosny amüsiert
sich über seinen Chauffeur, der an ein echtes zwischenmensch-
liches Verhältnis geglaubt hatte.[3]
Gesine durchschaut die Fassade, sie bleibt sich der Tatsache
bewußt, daß sie Angestellte ist. De Rosny lädt sie nicht aus
Freundlichkeit ein in seine Privatvilla, sondern um ihre
Kenntnisse zu prüfen. In seinen Augen ist sie eine Investi-
tion, und zwar eine besonders heikle; daß er sie auch in ihrer Freizeit überwachen läßt[4], macht ihre Gebundenheit
deutlich. In der Bank wird sie "umgetopft"[5] von einer Abtei-
lung in die andere, ohne daß sie Einwände dagegen erheben
könnte. Sie hat zu funktionieren, wenn sie ihren Posten nicht
verlieren will, und das wiederum kann sie sich wegen des Kindes nicht leisten. Daß sich de Rosny eventuell auch privat

---

1) S. 465.
2) Ebd.
3) S. 916.
4) S. 681.
5) S. 713.

für sie interessiert, tut ihrem Abhängigkeitsverhältnis keinen Abbruch: Sie wäre dann eine von seinen "Flüchtigkeiten",
mit denen der Bankbeherrscher sich einläßt, ohne daß sie ihn
bei seiner Arbeit stören.[1]
Seine Arbeit geht ihm leicht von der Hand; er funktioniert
nicht nur, wie seine Untergebenen, er hat Spaß an der Sache.
Darin liegt sein Lebensinhalt; es gibt für ihn keinen Privat-
bereich jenseits des Geldes:[2] Selbst wenn er zum Basketball-
spiel geht und seinem Idol Willie May zuschaut, selbst wenn
er die Familie Cresspahl zum Zuschauen in seine Loge eingeladen hat: Es dient nur zur Tarnung für "big business", für
ein geheimzuhaltendes Treffen mit einem anderen Finanzmagna-
ten.[3] "De Rosny, von den de Rosnys"[4], Repräsentationsfigur
des Kapitalismus, die in scheinbar individueller Gestalt die
allgemeinen Züge des Systems verkörpert, macht deutlich, daß
der Kapitalismus menschenfreundlicher auftritt als der Faschismus; de Rosny erscheint als nicht unsympathisch (im
Gegensatz zu Friedrich Jansen, der Verkörperung des Faschismus); er ist intelligent und tüchtig. Der "Mitarbeiter"
wird als scheinbar gleichberechtigter Mensch behandelt (ohne
Rücksicht auf Rasse, Geschlecht etc.), damit er um so besser
funktioniert. Denn allein seine Brauchbarkeit entscheidet.

----

1) Vgl. S. 917.
2) Ebd.
3) S. 1007.
4) S. 917.

4) Von der Möglichkeit und Unmöglichkeit des Handelns

a) Die verschüttete Möglichkeit

Aus der Vorvergangenheit, in die auch die Imagination Gesines
nicht zurückreicht, wird berichtet: 1920 gehörte Heinrich
Cresspahl dem Soldatenrat von Waren an der Müritz an, der im
Rathaus durch den Baron Stephan le Fort mit Kanonen beschossen wurde. Der Sohn armer Tagelöhner, der auf den Gütern des
mecklenburgischen Adels die Gänse gehütet hatte, gehörte zu
denen, die für politische und soziale Gerechtigkeit mit der
Waffe in der Hand kämpften.[1] Wie er zur SPD kam, wird nur angedeutet, nirgends aber genauer dargelegt. Fest steht, daß
Cresspahl während des Kapp-Putsches nicht nur die Notwendigkeit, sondern auch die Möglichkeit zur politischen Veränderung sah – und er handelte; er setzte sich selbst ohne Bedenken aufs Spiel. Berichtet wird[2], daß er im Keller des Rat-
hauses von Waren gefangengehalten worden war von Leuten, mit
denen sein späterer Schwiegervater Papenbrock paktierte.

Wie Cresspahl damals aus seiner schwierigen Situation wieder
herauskam, wie er sich aus der Politik herauslöste und welche
persönlichen Konsequenzen er daraus zog, wird jedoch nicht
berichtet. Wieviel Politisches bei seinem Weggang aus Deutschland im Spiel war, bleibt gleichermaßen unerwähnt.[3] Vor dem
Hintergrund der politischen Geschichte der zwanziger Jahre
wird verständlich, daß vor allem die opportunistische Politik
der SPD ihn aller politischer Wirkungsmöglichkeiten beraubte.

In der Folgezeit, vor allem im Berichtszeitraum seit 1931,
enthält sich Cresspahl aller politischer Aktivitäten;

---

1) Cresspahls Lebenslauf in Kurzfassung wird auf den Seiten
   1283ff. rekapituliert.
2) S. 70.
3) Cresspahl hatte (vgl. S. 1284) 1920 Deutschland verlassen,
   was sicherlich auf die Haltung der SPD während des Kapp-
   Putsches zurückzuführen war.

skeptisch betrachtet er die Politik der englischen Labour
Party, der er sich gleichwohl gefühlsmäßig verbunden fühlt.
Er liiert sich mit der Tochter des ehemaligen politischen Gegners – das Persönliche überwiegt in einer Lage, in der er
keinerlei politische Identifikationsmöglichkeiten mehr besitzt. Trotzdem bleibt er der Hellsichtige, der sich als
einziger keine Illusionen über den Nationalsozialismus und die
Zukunft des Dritten Reiches macht. Aber hätte er nicht erkennen müssen, wie es um Lisbeth stand? Hätte er nicht gerade
um ihretwillen die Rückkehr nach England erzwingen müssen?
Wissend und doch seltsam blind geht er in eine Zukunft hinein, von der er sich keine Hoffnungen mehr machen kann.
Beschrieben wird, wie er sich äußerlich arrangiert und sich
gleichzeitig auf den kommenden Krieg einrichtet. Er lernte,
mit der Schuld zu leben, die er durch seine Mitarbeit am
Militärflugplatz Mariengabe auf sich lüd. Außer kleinen Ran-
geleien mit dem NS-Bürgermeister Friedrich Jansen unternimmt
er nicht, was nach Widerstand aussehen könnte.Andererseits:
welcher Widerstandsbewegung hätte er sich anschließen können? Daß er Einzelkämpfer war und blieb, entsprach der historischen Situation. Den desolaten Zustand der SPD hatte er
unmittelbar nach seiner Rückkehr nach England noch einmal
kennengelernt. Wenn auch die einfachen Leute unter den SPD-
Mitgliedern noch politisches Engagement zeigten, die eigentlichen Aktivitäten der Partei erschöpften sich in einem
sinnlosen Formalismus; von hier her war nichts mehr zu erwarten.[1] Als einzig substantielle Kraft bleibt die persönliche
Freundschaft zu Peter Wulff und allenfalls zu Erwin Plath.
Daß Cresspahl sich nach dem Krieg nicht mehr der SPD an-
schließt, erscheint als konsequent.
Nach dem Krieg wird die KPD die mächtige Arbeiterpartei im
Lande, sie wird vertreten durch Gerd Schumann.[2] Hätte

----

1) Vgl. S. 194ff.
2) Zu Gerd Schumann vgl. S. 1375ff.

Cresspahl ihr beitreten können? Als Typ ist Schumann ihm nicht
unähnlich: Auch er macht "Dreckarbeit", ohne mit der Wimper
zu zucken; er verrichtete die Arbeiten, für die die anderen
sich zu schade sind, genau wie der Bürgermeister von Jerichow.
Aber es ist die Partei der Russen, und das unterbindet die
denkbaren Identifikationsmöglichkeiten. Cresspahl bleibt Einzelkämpfer.

Einmal, 1920, war die Möglichkeit des Handelns dagewesen, im
Einklang mit der politischen Theorie, gemeinsam mit den anderen Arbeitern im Soldatenrat. Niedergeschlagen von den Kräften der Reaktion, blieb sie die verschüttete Alternative der
Geschichte. Es hätte alles anders verlaufen können, als es
dann kam.[1]
Später bleibt Cresspahl, wenn er handeln will, nur subver-
sives Einzelgängertum, von Schuld belastet: der Landesver-
räter Cresspahl, der für die Engländer spioniert, muß seine Mitschuld an der Bombardierung von Lübeck, die Hunderten
von Menschen das Leben kostete, in Kauf nehmen.[2] Und nach
dem Krieg bietet sich als andere Möglichkeit: seine Pflicht
zu tun auf dem Platz, auf den man gestellt wird, ohne Dank
der Mitmenschen, ja sogar verfolgt von ihrem Haß und Neid.

b) "Positive Helden"

In seinem Essay "über eine Haltung des Protestierens" aus dem
Jahre 1967 wendet sich Johnson gegen die unverbindlichen
Vietnam-Demonstrationen gewisser "guter Leute":

"Die guten Leute wollen eine gute Welt; die guten Leute tun
nichts dazu. Die guten Leute hindern nicht die Arbeiter, mit
der Herstellung des Kriegswerkzeuges ihr Leben zu verdienen,
sie halten nicht die Wehrpflichtigen auf, die in diesem Krieg
ihr Leben riskieren, die guten Leute stehen auf dem Markt und
weisen auf sich hin als die besseren." 3)

----

1) Auf dem tiefsten Punkt seiner Lebensbahn, als der politische Gefangene Cresspahl 1946 wieder durch Waren getrieben
   wird, taucht assoziativ die Erinnerung an damals auf;dann

Die scheinbar unpolitische Formel, in die der Essay einmün-
det, die "guten Leute" sollten, statt zu demonstrieren, "gut
sein zu ihren Kindern, auch fremden, zu ihren Katzen, auch
fremden", macht deutlich, daß Johnson keine Trennung zwischen
privater und öffentlicher Sphäre akzeptiert. Was als Rückzug
ins Private erscheinen mag, entpuppt sich als die Verlänge-
rung des Öffentlichen in die individuelle Sphäre. So betrachtet, erweist sich die individuelle Verhaltensweise als
präpolitisch.

Politisch verbindliches Handeln wäre demnach nur möglich,
wenn die gesamte Existenz des Handelnden erfaßt wird. Aus
dem alltäglichen Leben muß politisches Handeln entspringen,
es muß in ihm verwurzelt sein. Daher die Ablehnung jeder politischen Aktivität, die nur um des Effekts willen, nicht
aus Überzeugung vollzogen wird.
Ex negativo werden die Kriterien glaubhaften politischen Handelns sichtbar: Vollbracht werden sie zumeist von unschein-
baren Helden des Alltags, die oft mit Mängeln und Schwächen
behaftet sind, aber sie tun ohne große Worte das, was eigentlich selbstverständlich ist; und sie tun es konsequent und
unbeirrt auch unter schwierigen Bedingungen und stellen sich
damit in Gegensatz zur Trägheit und zum Opportunismus der anderen.
Als Beispiel ist Martin Niebuhr, Cresspahls Schwager, zu nennen, der im Frühjahr 1945 die Stadt Wendisch Burg vor der Zerstörung durch SS-Verbände rettet.1) Langsam, fast verschlafen wirkend, bewahrt er in der Gefahrensituation doch einen
klaren Kopf und findet einen Ausweg. Ihn als Beamten stört

----

noch Fußnote 1) v.S. 98
    verliert Cresspahl das Bewußtsein.
2) Vgl. S. 867ff.
3) Uwe Johnson: Über eine Haltung des Protestierens. In:Kurs-
    buch 9 Frankfurt/M. 1967,S.177.(Offensichtlich ist dieser
    Essay gegen spektakuläre Proteste à la Enzensberger gerich-
    tet; "die guten Leute" ist eine Formulierung, die in Gesi-
    nes bissigem Kommentar über Enzensbergers offenen Brief in
    der"New York Review of Books" ständig wiederkehrt.
1) S. 975ff.

das Vorschriftswidrige des geplanten Anschlags (die SS will
die ihm unterstellte Havelschleuse sprengen); seine Frau erkennt die Gefahr für die Bewohner der benachbarten Dörfer und
malt die Konsequenzen für die Betroffenen aus. Niebuhr opfert
nicht nur seinen kostbaren Schnaps, er begeht kurzerhand
Hoch- und Landesverrat, indem er sich per Telefon mit den anrückenden Sowjets in Verbindung setzt und ihnen von den Plänen der SS berichtet. Durch ihren beschleunigten Einmarsch
verhindern sie die Katastrophe. Martin Niebuhr aber bleibt,
was er vorher gewesen war, ein etwas vertrottelt wirkender
Schleusenwärter.

Als "positive Helden" wären außerdem zu erwähnen:
Dr. Kliefoth, der während des Dritten Reiches mit Hilfe seiner Sprachkenntnisse anderen zu "arischen" Namen verhilft[1];
nach dem Krieg verzichtet er auf seine Vorrechte, die die sowjetische Besatzungsmacht ihm einräumt, und hilft den Frauen
beim Einbringen der Getreideernte, indem er ihnen Mut zu-
spricht, wenn sie aufgeben wollen.[2] Er bleibt, was er immer
gewesen war, ein nobler Konservativer, der sich nicht zu schade ist für unangenehme Tätigkeiten.
Zu nennen wäre weiterhin: Hilde Paepke, Gesines Tante, gutmü-
tig, lebensfroh, die eigenen und fremden Kindern ein Leben
nach Wunsch bereitet; sie und ihr Mann sind - vor allem in
Geldangelegenheiten - leichtsinnig bis an den Rand der Kriminalität; keinesfalls werden sie als vorbildhafte Gestalten
bezeichnet, aber sie gewinnen durch ihre Offenherzigkeit und
Freundlichkeit die Sympathie der Leser.
Augenscheinlich ist dagegen die Vorbildfunktion von Jakob
Abs und seiner Mutter. Sie bleiben auch nach Cresspahls Verhaftung bei Gesine und tragen die Verantwortung für das fremde
Kind und das fremde Hauswesen. Sie regeln das Leben der Flücht-
linge und bemühen sich, dem Kind ein Leben in den gewohnten

---

1) S. 892.
2) S. 1170ff.

Formen zu verschaffen.(Gesine sagt in den "Mutmaßungen", sie habe an Frau Abs immer eine Mutter gehabt.[1]) Unauffällig, ohne Pathos, mit aller Selbstverständlichkeit, tun sie, was sie für ihre Pflicht erachten, auch wenn es manchmal ihre Kräfte übersteigt.

Als kollektives Beispiel wäre der Hof der Schlegels zu nennen, wo Einheimische und Flüchtlinge, Eigentümer wie Besitzlose, gleichberechtigt miteinander arbeiten.[2] Als eigentlicher positiver Held fungiert Johnny Schlegel, der dem Hof diese Verfassung gegeben hat; ein promovierter Agrarwissenschaftler, der die richtige Theorie in sinnvolle Praxis umzusetzen versteht.

Vorbildhaft, wenn auch weniger erfolgreich, betätigt sich Cresspahl nach dem Krieg als Bürgermeister. Einer muß die Arbeit tun, die nicht nur frustrierend ist, sondern auch den Stadtbewohnern einen willkommenen Sündenbock für alle anstehenden Probleme gewährleistet. Cresspahl "opfert" sich – aus Pflichtbewußtsein gegenüber Jerichow, das es ihm nicht danken wird[3]. Sein Leitprinzip ist Gerechtigkeit; er nimmt sich der Flüchtlinge an und schont nicht die egoistischen Alteingesessenen. Listig umgeht er Vorschriften, erfindet Möglichkeiten am Rande und jenseits der Legalität, stets bedroht vom jähzornigen Ortskommandanten Pontij, der ihn schließlich als "Wirtschaftsverbrecher" verhaften läßt.

Bereits erwähnt wurde, daß Gerd Schumann, der KPD-Sekretär des Kreises Gneez, eine gewisse geistige Verwandtschaft mit Cresspahl aufweist.[4] Wie Cresspahl selbst stellt er sich bedingungslos in den Dienst der Sache (freilich einer anderen als Cresspahl); unermüdliche Arbeit bei Tag und Nacht für den

----

1) "Mutmaßungen", a.a.O., S. 12; dieselben Formulierungen verwendet Gesine in den "Jahrestagen", S. 1192.
2) S. 1269ff. (vgl. auch das Kapitel "Sozialismus").
3) Vgl. dazu das Kapitel "Das Volk".
4) Vgl. den vorangegangenen Abschnitt "Die verschüttete Möglichkeit".

Aufbau der "Neuen Ordnung" bei dauernder Entmutigung durch
die sowjetischen "Freunde" kennzeichnen seine Tätigkeit.[1]
Weniger gewitzt als der landes- und leutekundige Cresspahl
steht Schumann manchmal hilflos vor den typisch mecklenburgischen Erscheinungsformen der kleinbürgerlichen Mentalität;
er läßt den Mut nicht sinken und kämpft weiter.

c) Von der Unmöglichkeit zu handeln

"Du hast nicht aufgegeben. Es versteht sich, daß ich es bei
mir selbst unglaublich fände. Dir gebe ich recht. Immer noch
nicht hast du es satt, die Versprechungen des Sozialismus
beim Wort zu nehmen, hartnäckig hältst du den imperialisti-
schen Demokraten die edel geschriebenen Verfassungen vor, bis
heute kannst du der Kirche nicht vergessen, daß die Segnung
der Rekruten auf dem Kasernenhof in Gneez auch das Gerät zum
Kriege einschloß [...]" [2]

So D. E. in seinem langen Brief, in dem er Gesine an ihrem
35. Geburtstag um ein gemeinsames Leben bittet. Während sein
Dasein in Funktionen aufgeht und seine Biographie zur tabellarischen Übersicht erstarrt ist[3], sieht er bei ihr Leben
und Hoffnung. Wie für sie die Vergangenheit Realitätscharak-
ter besitzt, ist auch ihr Blick auf die Zukunft keinesfalls
von Gleichgültigkeit getrübt. Was Erichson an ihr bewundert,
ist ihr unbeirrbares Festhalten an den Prinzipien der politischen Moral. Sie verlangt von sich und anderen ein Leben nach
den Grundsätzen der Gerechtigkeit, und sie hält diesen Anspruch
aufrecht, mag er noch so oft diskreditiert worden sein. Dies
ist der spezifische Unterschied, der sie von den anderen, den
Angepaßten trennt, und nur in trüben Stunden sehnt sie sich
danach, daß sie sein könnte wie ihre Mitmenschen.[4]

Doch wünscht sie sich eine Übereinstimmung von innen und aus-
sen; daß sie gerne "ordentlich" gewesen wäre, "unbeeinflußt

---

1) Vgl. S. 1375 ff.
2) S. 818.
3) S. 816.
4) S. 865 f.

von Biographie und Vergangenheit, mit richtigem Leben, in einer richtigen Zeit, mit den richtigen Leuten, zu einem richtigen Zweck"[1] vertraut sie Maries Tonband an. Sie ist sich der Diskrepanz bewußt, die zwischen ihren Prinzipien und den Sachzwängen der alltäglichen Realität bestehen. Leben muß sie in ständiger Reservatio mentalis, äußerlich angepaßt, innerlich hingegen an ihren Prinzipien orientiert. Das "Unwahre", der Unterschied zwischen Wesen und Erscheinung ist es, was ihr am meisten zu schaffen macht: "Ich mach das jeden Morgen in der Bank, das Begrüßungslächeln, das amerikanische, das ich nicht kann."[2]

Aus der Diskrepanz erwächst das Bedürfnis, sich selbst "wahr" zu machen[3], was aber nur möglich wäre im Rahmen einer Gesellschaftsordnung, die nach den Grundsätzen der Wahrheit lebt. Daher ihre Unfähigkeit, sich an den Demonstrationen und anderen politischen Aktionen zu beteiligen, deren "Wahrhaftigkeit" sie bezweifelt, weil ihr "Show-"Charakter sie abstößt.[4]

Einmal wäre sie bereit gewesen, mit ihrer Tochter aus der reservierten Beobachterposition heraus und vom Bürgersteig herunterzugehen auf die Straße, um sich einzureihen in den Zug; jedoch sehen sich beide peinlich berührt durch eine Maskerade, die in ihren Augen "Unwahrheit" ist:[5] Ein Amerikaner ist kein Vietnamese, er kann nur als er selbst an seinem Ort seine Sache verfechten.

Bezeichnenderweise tauchen keine amerikanischen "Helden" auf. Das allgegenwärtige Zweckdenken, die Kommerzialisierung des Lebens, erlaubt offensichtlich kein authentisches Handeln mehr, zumindest nicht mehr als spontanen Ausdruck einer Persönlichkeit. Wo selbst der Tod eines Menschen zur grandiosen Fernsehshow ausgeschlachtet wird[6], ist ein "naives", gleichsam aus tiefstem Herzen kommendes Handeln kaum mehr denkbar.

----

1) S. 889.
2) S. 865.
3) Vgl. S. 1025.
4) Vgl. auch den Abschnitt "Positive Helden".
5) "Die Show war eine Reihe junger Mädchen in vietnamesischer

Die "Beschränktheit" eines Martin Niebuhr, der seinen Arbeitsplatz und seine Lebenssphäre verteidigt, wird durch die Abstraktheit der Zusammenhänge in der modernen Industriegesellschaft ad absurdum geführt. Das zeigt sich am Beispiel eines Bürgermeister Lindsay, der der Umweltverschmutzung höchst persönlich den Kampf angesagt hat und sich nun mehr oder minder erfolglos mit den kleinen Sündern herumstreitet, ohne doch gegen die wahrhaft "atemberaubende" Verschmutzung im großen Stil etwas unternehmen zu können. Was Lindsay erntet, ist höchstens Spott; wie "unglaubhaft" er als politischer Repräsentant bereits geworden ist, zeigt sich an der Tatsache, daß er sich nicht mehr leisten kann, eine eigene politische Überzeugung zu entwickeln, die mit den Interessen auch nur eines Teils seiner potentiellen Wähler kollidierte: Also trägt er auf beiden Schultern und wohnt unparteiisch den Veranstaltungen sowohl der Kriegsbefürworter wie auch der Kriegsgegner bei, und es bleibt ihm - rebus sic stantibus - nichts anderes übrig.[1]
Persönliche Freundlichkeit existiert auch in der Millionenstadt. Helden des Alltags sind beispielsweise die beiden Schwarzen, die beim U-Bahn-Streik Gesine in die erste wieder verkehrende Bahn bugsieren und ihr auch noch ihren verlorenen Schuh nachreichen;[2] mehr läßt sich nicht tun.

---

noch Fußnote 5) v. S. 103
  Kleidung, schwarzkittlig unter spitzen Strohhüten. Kleingewachsene amerikanische Mädchen, verkleidet als Frauen Viet Nams. Sie wollten uns zeigen, wen an ihrer Stelle das Land in Viet Nam umbringt. Es war nicht ihre Stelle. Als ob sie hier und jetzt, Central Park West, umgebracht würden, Ecke 101. Straße. Und als ob es ihnen doch nicht ernst wäre." (S. 1073).
6) Vgl. die Passagen über das Begräbnis Robert F. Kennedys, S. 1298ff.

---

1) S. 1074.
2) S. 1227ff.

Daher findet auch Gesine keinen Ansatzpunkt für ein verbindliches Handeln. Was als moralischer Ästhetizismus oder Perfek-
tionismus erscheinen könnte: ihre Weigerung, sich aktiv an
einer Aktion zu beteiligen, mit der sie sich nicht voll und
ganz identifizieren vermag, ist nichts weiter als konsequente-
ste Gesinnungsethik, die keine Kompromisse macht. Gesine weiß,
daß ihr Regorismus anfechtbar erscheinen mag, sie verteidigt
ihn dennoch gegenüber den Attacken der Toten, die von ihr
mehr Aktivität verlangen:
"Es ist, was mir übriggeblieben ist: Bescheid zu lernen."[1]
Sie will handeln ohne Vorbehalte und Hintergedanken. Zwischen
Mittel und Zweck soll es keine Diskrepanz geben. Überzeugung
und Tat sollen unter der gemeinsamen Prämisse der Wahrheit
stehen, die keinen Umweg, kein Taktieren, keine halbherzi-
gen Kompromisse kennt.
Daher ihr Mißtrauen gegenüber ihrer Freundin Annie, die gehan-
delt, d.h. öffentlich demonstriert und dafür ihr Ansehen in
der kleinen Provinzstadt aufs Spiel gesetzt hat. So sehr Gesine die Jüngere um dieser Tat willen beneidet, sie befürch-
tet doch, daß Annie auf diese Weise ihren Ehekonflikt austrägt und damit die "gute Sache" für persönliche Zwecke miß-
braucht.[2]
Entsprechendes gilt für die Studentendemonstrationen, die
amerikanischen wie die deutschen, mit deren Zielsetzungen
sie durchaus sympathisiert, ohne daß sie jedoch mit den konkreten Aktionen solidarisieren könnte. Mit kritischem Blick
erkennt sie deren Schwächen. In einem Telefongespräch mit
ihrer Freundin, der "Roten Anita" in Berlin spricht sie ihre
Bedenken gegen die Teilnahme an derartigen Veranstaltungen
aus[3]: Als Angehörige eines älteren Jahrgangs fühlt sie sich
als nicht zugehörig. Mehr noch stört sie der "Exotismus" der
Bewegung; daß Studenten, die gegen Springer demonstrieren,
dabei den Namen des vietnamesischen Staatspräsidenten rufen.

----
1) S. 209.
2) S. 581ff.
3) S. 988ff.

Die Verbindung zwischen dem deutschen Antikapitalismus und
dem südostasiatischem Antiimperialismus will ihr konstruiert
erscheinen, zumindest als eine unzulässige Flucht vor dem Jetzt
und Hier.
"Es wird wieder nichts", kommentiert Anita resigniert die
Berliner Vorgänge: "Hier nicht und dort nicht". Für Gesine
wie für Anita bleibt es unverbindliche Spielerei, die keine
Konsequenzen haben wird. Ihre "Kinderwünsche"[1] vom Sozialismus werden sich hier nicht erfüllen:

"Du ich war gestern in einem Teach-in in der Technischen Universität, und die jungen Leute haben mich wahrhaftig nicht
hinausgeworfen. Sie diskutierten, wieso denn sie immer wieder
verprügelt und auseinandergetrieben werden von der Polizei.
Wie es kommt, daß nur zwanzig Wagen da sind, um die Auslie-
ferung der Springerzeitungen zu blockieren, wenn sechshundert
bis achthundert erwartet wurden. Da stand ein junger Mann auf,
23 Jahre, Student der Psychologie, und erklärte den Leuten
die Sache. Er sei zur letzten Demonstration nicht gekommen,
weil das Auto seinem Vater gehöre. Nun kann er doch nicht hin-
gehen und es einer Gefahr aussetzen. Mit der Gesellschaft will
er wohl brechen, aber doch mit dem Vater nicht. Das Eigentum
anderer zerschlagen; aber doch nicht das eigene kaputtmachen
lassen. Und dazu das Gerede von der Arbeiterklasse, die für
die Umwälzung der Gesellschaft gewonnen werden soll. Mit einem Vokabular, für das schon ein studierter Mensch einen Son-
derkurs braucht."

Der Student, über den Anita sich so ereifert, verkörptert
exemplarisch die Haltung des unverbindlichen Verbalradikalis-
mus. Erst wenn die öffentlich geäußerte Meinung private Konsequenzen hätte, könnte nach Anitas (und Gesines) Meinung
die Studentenrevolte aus dem Stadium der bloßen "Spielerei"
heraustreten.[2]

----

1) S. 990f.
2) Eberhard Fahlke vertritt in seinem Aufsatz "Gute Nacht,
   New York - Gute Nacht, Berlin" (in: Literatur und Studentenbewegung. Hrsg. v. W. Martin Lüdke, Opladen 1977,
   S. 186-218) die These, daß diese negativen Erfahrungen für
   Gesine und Anita den Abschied von der Idee des Sozialismus
   bedeuteten. Angesichts der Hoffnungen, die Gesine auf den
   "Prager Frühling" setzt, erscheint diese Behauptung nicht
   sehr stichhaltig.

Johnsons Wahrheit ist konkret, sie ist eine des hic et nunc:
An seinem Platz soll jeder tun, was in seinen konkreten Mög-
lichkeiten liegt. Kleine Schritte in der unmittelbaren Umge-
bung werden empfohlen statt weltumfassender Theorien ohne
Praxisbezug. Doch selbst dieses Minimum setzt höchst konkrete
Ansatzmöglichkeiten voraus; aber wo könnte beispielsweise die
Angestellte Cresspahl tätig werden (sieht man von ihrem
tschechischen Spezialauftrag einmal ab)? Ihre "Teilhabe" am
Vietnam-Krieg, so gewiß sie ist, so wenig läßt sie sich kon-
kret fassen.

5) Subversion, Flucht und Selbstmord

Wem die Möglichkeiten sinnvollen Handelns verstellt sind, dem
bleibt nur die Flucht oder aber die Illegalität, das subversive Einzelkämpfertum; wird ihm auch diese Möglichkeit genommen,
muß sich die Aggression selbstzerstörerisch gegen das eigene
Leben richten. Alle diese Möglichkeiten werden von Gesines
Eltern exemplarisch vorgeführt; Gesine selbst hat die Wahl
zwischen diesen Alternativen.

a) Subversion

"Doch irgendwann in Johnsons Büchern erreicht die ruhige An-
nahme der Ohnmacht eine kritische Grenze. Außerdem: auch wenn
Gelassenheit eine epische Grundkategorie ist – unendlich
läßt sich von ihr und mit ihr nicht erzählen. Irgendwann hat
sich bis jetzt jede Erzählung Johnsons verwandelt in eine Kri-
minalgeschichte. [...] Und wird nicht Gesine Cresspahl am Ende der "Jahrestage" wahrscheinlich in Prag sein, ausgerechnet
im August 1968, mit welchen Hoffnungen oder Aufträgen, wie
kriminell oder wahnsinnig, wie weit jenseits der Legalität?"1)

Nachdem Lisbeth am Faschismus zugrunde gegangen ist, läßt sich
Cresspahl vom britischen Geheimdienst anwerben. Mehrere Jahre
lang versorgt er seine Auftraggeber zuverlässig mit Informationen, die er sich oft unter großem persönlichen Risiken verschafft. Es ist eine unmittelbare Tat, ohne Vorbehalte, ohne
Rücksicht auf das eigene Leben. Denkbar wäre, daß das Prager
Projekt Gesine gleichfalls, wie oben angedeutet, in die Nähe
subversiven Einzelkämpfertums brächte. (Auch im Zusammenhang
mit Weiszand scheint sich eine Agentenhandlung abzubahnen,
die Gesine gleichfalls zu entsprechenden Handlungsweisen

----

1) Reinhard Baumgart: Ein gelassenes Programm. Auszüge aus
   der Rede zur Verleihung des diesjährigen Büchner-Preises
   an Uwe Johnson. In: "Die Zeit" vom 29. 10. 1971.

veranlassen könnte.)[1]

b) Flucht

"Gefällt dir das Land nicht? Such dir ein anderes" höhnen die Stimmen der Toten[2], wenn Gesine angesichts der Praktiken de Rosnys an den USA verzweifeln möchte. Doch wohin soll sie gehen? Sie hat die DDR und auch die Bundesrepublik verlassen[3], weil sie das Leben dort unerträglich fand. Zwar tadelt sie ihren Vater, weil er Frau und Kind ins faschistische Deutschland zurückkehren ließ, aber für sie selbst ist die Situation ungleich schwieriger geworden: Je komplexer die gesellschaftlichen Systeme, desto hoffnungsloser der Versuch, sich ihnen durch "Neutralität" zu entziehen. Gesine, am Status des "Gasts"[4] wider besseres Wissen festhaltend, versucht durch Warenboykott und andere Formen der Nicht-Partizipation zu verhindern, daß sie in die allgemeine "Schuld" der Gesellschaft miteinbezogen wird; sie ist sich der Fragwürdigkeit dieses Verfahrens bewußt. Flucht aus dem schuldig gewordenen Gastland in ein anderes wäre der nächste Schritt. Aber "Dublin, London, Kopenhagen", zu denen ihr Jakob wohlmeinend rät,[5] liegen auf Erichsons Fluglinien, und ihre Länder sind fest integrierte Bestandteile des westlichen Verteidigungssystems, das der "zukünftige Kriegsverbrecher"[6] in regelmäßigen Abständen inspiziert; von der "moralischen Schweiz" kann keine Rede sein.

----

1) Es ist daran zu erinnern, worauf auch Baumgart in seiner zitierten Anmerkung zu Johnson hinweist, daß Gesine bereits in den "Mutmaßungen" unfreiwillig ins Zwielicht der Spionage geraten war; auch ihre mehrfach erwähnte nächtliche Pragfahrt sowie ihre Visa-Schmuggel-Aktionen zum Zweck der Fluchthilfe liegen auf dieser Linie.
   Subversiv handelt auch Martin Niebuhr, der "positive Held" der "Jahrestage", als er sich den Zerstörungsplänen der noch amtierenden nationalsozialistischen Machthaber als illegaler Einzelkämpfer widersetzt.
2) S. 80 u. S. 1007.
3) Diese Form des (Nicht-) Handelns hat gleichfalls Tradition in ihrer Familie: Cresspahl ging 1920 in die Niederlande; vorausgegangen war die Niederlage des Warener Soldatenrats

Mit bitterem Spott überzieht Gesine den Schauspieler Kie-
ling,[1] der, nachdem er einige Jahre vorher die DDR verlassen hat, nun wieder dorthin zurückkehrt, weil ihm bekannt geworden ist, daß sich auch die Bundesregierung indirekt am südostasiatischen Krieg beteiligt hat - ein Faktum, das er bei
seiner ersten Flucht angeblich nicht wußte. Gesine empört
sich über diese Heuchelei nicht weniger als über Hans Magnus
Enzensbergers Begründung seines Abgangs nach Kuba:[2] Auch
er hätte wissen müssen, in welches Land er ging, als er das
Stipendium einer amerikanischen Universität annahm. Wenn Gesine nochmals fortgeht, dann soll es nicht Flucht sein, nicht
eine Form der Inaktivität und Nichtpartizipation; vielmehr
würde sie dorthin gehen, wo ihr ein sinnvolles Handeln und
die Teilnahme am politischen Leben wieder möglich erschiene.

c) Selbstmord

Das Gegenbeispiel zu den von Cresspahl praktizierten Handlungsweisen (Flucht und Subversion) bietet Lisbeth: In aus-
wegloser Situation "opfert" sie sich selbst, nachdem sie vorher sich selbst (und auch ihr Kind) mit Bußen aller Art gestraft hat; so hofft sie ihren Anteil an der allgemeinen
Schuld zu tilgen.
Gesines Verhältnis zu der verzweifelten Tat ihrer Mutter ist
ambivalent: Einerseits empfindet sie verstärkt Schuldgefühle,
wenn sie ihre eigene Inaktivität bedenkt. So, wenn sie über
den Terminus "kinderglut" reflektiert;[3] denn während für

---
noch Fußnote 3) v. S. 110
    beim Kapp-Putsch (vgl. S. 1286f), auch konnte er die dama-
    lige Politik der SPD nicht länger akzeptieren; seit dieser
    Zeit blieb er "seiner" Partei die Beiträge schuldig.
4) Vgl. S. 90.
5) Vgl. S. 315.
6) So wird D.E. von Johnson genannt in seiner Büchner-Preis-Rede vom Jahre 1971 (In: Büchner-Preis-Reden 1951-1971.Stutt-
   gart 1972, S. 217-240; Zitat S. 235).

1)S. 894 f.
2)S. 794ff.

Lisbeths Selbstmord der Tod eines einzigen Kindes hinreichen-
der Grund war, bleibt Gesine trotz des qualvollen Sterbens
zahlloser vietnamesischer Kinder untätig. Andererseits tadelt
sie Lisbeths "Hochmut", der sich gerade in ihrem selbstge-
wählten Sterben manifestiert:

"Alle Leute in ganz Jerichow, ganz Mecklenburg, ganz Deutschland bestanden nicht vor deinem Hochmut. Für die warst du dir
zu gut.
So zu leben gefiel dir nicht, und du gingest weg. Dachtest,
du kämest wohin? [...]" 1)

Lisbeths märtyrerhafter Tod gerät so in die Nähe gekränkten
Trotzes; ihr Schicksal erscheint keineswegs als unausweichliche Notwendigkeit:

"Es war Hilfe da. Du mochtest nicht einmal zugeben, daß du
Hilfe brauchtest." 2)

Aber ist die Einzelkämpferin Gesine, die sich keiner politischen oder wie auch immer gearteten Gruppe anzuschließen vermag, nicht in einer ähnlichen Situation wie ihre Mutter, außer
daß ihr deren vorbehaltlose Konsequenz abgeht?
Gemeinsam ist beiden, daß sie auf sich selbst verwiesen
bleiben: Lisbeth mag nicht einmal die Hilfe der Kirche annehmen, ihr Tod ist - wie Pastor Brüshaver betont - eine
Sache zwischen ihrem Gott und ihr. Daß die Schuld für Lisbeths Verhalten bei den Bürgern von Jerichow, nicht zuletzt
bei ihm selbst liegt, betont er nachdrücklich.[3] Lisbeth wird
damit keineswegs entschuldigt oder gar als leuchtendes Beispiel für die anderen gesetzt: Sie hätte nicht sterben müssen.
Nicht die Rigorosität ihrer moralischen Prinzipien ("Manisch,
verantwortlich noch für die Vögel im Garten"[4]) wird in Zweifel gezogen, sondern ihre selbstgewählte "spendid isolation":

noch Fußnote v. S. 111
3) S. 519f.
1) S. 286.
2) Ebd.
3) Vgl. das Kapitel "Das Volk".
4) S. 775.

Sie kapselt sich ab von der Gemeinschaft, sucht keine Verbün-
deten, keine Alternativen. So auf sich selbst verwiesen, kann
sie in der Tat nur im Selbstopfer ein Mittel sehen, die aus
den Fugen geratene Welt wieder ins rechte Lot zu bringen.

Der Vorwurf des Hochmuts fällt jedoch auf Gesine selbst zu-
rück: Ihre Nicht-Teilnahme an der Vietnam-Demonstration in
Washington bringt sie in die Nähe eines absoluten, fast ans
Ästhetische grenzenden moralischen Purismus:

"Ein kleiner Fehler in der Schönheit der Tat, und du begehst
sie nicht."[1]
Wo immer politisches Engagement möglich wäre, findet sie ein
Wenn und Aber. Ihre Forderung nach absoluter Identität von
Tat und Täter ("Daß ich nur tu was ich im Gedächtnis ertra-
ge")[2] hindert sie an politischer Partizipation und zwingt
sie in die Rolle des stummen Zuschauers. Was unter dem Gesichtspunkt der Identität als moralischem Prinzip durchaus
vertretbar erscheint, gewinnt aus anderer Sicht den Anschein
moralischen Hochmuts: Sie wird zur "schönen Seele" (Hegel),
die sich nicht beschmutzen will in ihrer makellosen Reinheit.

Im Zerrbild des haßerfüllten Briefes von F.F. Fleury erscheint
ihre absolute Gesinnungsethik als Attitude der Überheblichkeit.[3]
Gesines angestrengte Abwehr: "Das bin ich nicht", legt den
Gedanken nahe, daß der Vorwurf des moralischen Perfektionis-
mus einen wunden Punkt bei ihr trifft.
"Daß ich nicht werde wie meine Mutter", lautet ihr Neujahrswunsch für 1968.[4] Sie hat für sich eine andere Alternative
gewählt, die ihr ein sinnvolles Handeln in Aussicht stellt;
welche Konsequenzen es für sie haben wird, wenn ihr diese
letzte Möglichkeit genommen wird, bleibt der Phantasie des
Lesers überlassen.

1) S. 209.
2) Ebd.
3) S. 639.
4) S. 537.

6) Aporie

Je vollkommener die Ablehnung der bestehenden Verhältnisse
zum Ausdruck kommt, desto dringlicher wird die Notwendigkeit
der Veränderung empfunden. Aber wie oder durch wen sie be-
werkstelligt werden sollte, wird nirgends ausgesprochen.
Postuliert wird ein "totaliter aliter", eine radikale Umge-
staltung aller Lebensverhältnisse. Aber diese Forderung muß
abstrakt bleiben; es gibt keine Verbindung zwischen dem Gebot der Veränderung und der konkreten Wirklichkeit. Dem Individuum sind die Möglichkeiten zum Handeln abgeschnitten; keine politische Kraft wird sichtbar, von der eine Transformation
der gesellschaftlichen Verhältnisse zu erwarten wäre. Was in
der ländlichen Umgebung Mecklenburgs, zumal im Chaos des
Kriegsendes noch möglich erscheint: die unmittelbare -not-
falls subversive - Tat eines Martin Niebuhr, verflüchtigt
sich in den hochkomplexen Strukturen der modernen Industriegesellschaft; die Interdependenz der gesellschaftlichen Bereiche
gestattet dem einzelnen keine Tat von unmittelbarer Konsequenz mehr.
In diesem Zusammenhang erscheint eine Kritik an Johnsons Kon-
kretismus des hic et nunc angebracht, der, in Abwehr eines jeden Eskapismus nur das unmittelbar Gegebene akzeptiert. Die
arbeitsteilige Gesellschaft, deren Zusammenhänge einerseits
immer dichter, andererseits immer weniger faßbar werden, er-
fordert langfristige Methoden indirekten Handelns, auch wenn
deren Erfolg weniger leicht ablesbar ist als bei Niebuhrs
Nacht- und Nebel-Aktion. An die Stelle der - weitgehend abhanden gekommenen - Spontaneität von Individuen müßte die
institutionalisierte und organisierte Zusammenarbeit vieler
Einzelner treten.
Bezeichnenderweise vollzog sich die politische Entwicklung
in der CSSR im Zusammenspiel von Partei und Basis; sie war
das Resultat von Spontaneität und zielgerichteter Planung.

In weitaus umfassenderem Sinne als dies Gesine (und ihrem
Autor) bewußt war, hätte der "Prager Frühling" ein Exempel
adäquaten politischen Verhaltens in unserer Zeit sein können.[1]

----

1) Zu diesem Aspekt des "Prager Frühlings" vgl. nochmals
   Zdenek Mlynar, Nachtfrost (a.a.0.).

III. "Nicht-aristotelisches" Erzählen
=================================

1) Vorbemerkung

In einem Interview kommt Johnson auf den möglichen Gebrauchs-
wert von Literatur zu sprechen:

"Wenn heute ein Siebzehnjähriger überhaupt das Bedürfnis hätte, sich zu informieren, wie der Zweite Weltkrieg in der Sowjetunion sich tatsächlich praktisch dargestellt hat, dann hätte er ja die Möglichkeit, die Gedächtnisschriften eines In-
fanterie- oder Luftwaffenregiments nachzulesen, auf allerbestem
Papier. Glauben wird er in der Regel Herrn Böll.
[...]
"Bei Herrn Böll wird mit einzelnen Leuten vorgegangen, die gefragt werden, ob sie wollen. Von denen erfährt man auch noch
mehr als bloß die Nummer, die dann nach dem eingetretenen To-
desfall durchzubrechen und den Angehörigen zuzuschicken ist.
Bei Herrn Böll kriegt man sogar Vorgeschichten und persönliche Eigenheiten [...] mit, so daß einem bei der Person, die
dann tatsächlich doch wieder geopfert wird, [...] leid tut,
daß sie geopfert wird." 1)

In diese Tradition stellt er seine "Jahrestage" als eine deutsche "Chronik", d.h. als Beitrag zur Erforschung der Geschichte unseres Jahrhunderts, als Bericht vom Leiden der Menschen,
von gescheiterten Hoffnungen und von den politischen Konflik-
ten dreier Generationen. Gefragt nach dem Zweck, gibt der Mora-
list Johnson die Antwort, er wolle den Menschen ein Bild - genauer ein Modell - der Realität versetzen, das es ihnen erlau-
be, die eigene Wirklichkeit besser zu erkennen:

"Ja, so wie es da geschrieben steht, so ist es, so leben wir.
Aber wollen wir so leben?" 2)

In diesen lakonischen Sätzen verbirgt sich implizit die Poetik der "Jahrestage":
Sie sollen ein "Modell" der Realität sein, kein Spiegelbild.

---

1) Durzak, "Gespräche", a.a.O., S. 436.
2) Durzak, "Gespräche", a.a.O., S. 431; zum "Modell"
   vgl. auch Johnson, "Vorschläge", a.a.O., S. 402f.

Die Kunst beansprucht für sich Autonomie; erst im Vergleich
mit der oft gänzlich anders gearteten eigenen Wirklichkeit
kommt die erhellende Funktion des Modells zum Tragen. Andererseits bleibt Johnson durchaus auf der Ebene des Realen.
Er beschreibt, was ist; nicht, was sein soll. Unter strikter
Ablehnung eines jeden von ihm als "romantisch" bezeichneten
"sozialistischen Realismus"[1] entwirft er Menschen und Verhältnisse, die den wirklichen entsprechen. Daher rührt,
trotz aller Fiktionalität, die Nähe zum Dokumentarischen und
der betonte Bezug zur außerliterarischen Realität.

Die "Jahrestage" enthalten keine "Botschaft"; ausdrücklich
lehnt der Autor es ab, den Roman zum Vehikel einer wie auch
immer beschaffenen Zielsetzung zu machen. Er will Lebenswirk-
lichkeit darstellen; mag der Leser selbst seine eigenen Konsequenzen daraus ziehen. Der Leser soll jedoch seine Schluß-
folgerungen ziehen. Er soll, im Sinne der zitierten Frage:
"Wollen wir so leben?", die Misere nicht nur des erdachten,
sondern auch des eigenen Lebens erkennen und nach Möglichkeiten
der Veränderung suchen. Einen konkreten Rat kann und will der
Autor ihm freilich nicht geben; er beschreibt die Probleme,
in denen auch der Leser sich mutatis mutandis wiedererkennen
kann. Der Leser soll selbst über Möglichkeiten der Veränderung
nachdenken.

Aus diesen Prämissen leitet sich Johnsons poetische Theorie her,
die in diametralem Gegensatz zur traditionellen (im sozialistischen Bereich von Lukács fortgeschriebenen) Poetik steht[2].
Der Leser soll "die Wahrheit" erfahren, die eng mit der historischen Faktizität verknüpft ist; daher die historischen Studien des Autors (und seiner "Mit-Autorin" Gesine)[3]

----

1) Durzak, "Gespräche", a.a.O., S. 435.
2) Auf die engen Zusammenhänge zwischen Johnsons poetischer
   Praxis und Brechts epischem Theater hat Bernd Neumann in
   seiner Interpretation der "Mutmaßungen über Jakob" hingewiesen (a.a.O., S. 123ff.); von ihm stammt der Terminus
   "nicht-aristotelischer Roman".
3) Vgl. das Kapitel "Zwischen fiktiver und dokumentarischer
   Literatur.

Andererseits ist die "Wahrheit" nicht schlichtweg identisch
mit bloßen Tatsachen: Johnsons Invektive gegen die scheinbar
objektive Memoirenliteratur der Infanterieregimenter macht
die Differenz deutlich: "Wahrheit" ist die Wahrheit von konkreten Individuen, daher die Hervorhebung von Bölls "individueller", d.h. "menschlicher" Geschichtsschreibung. Ihr Er-
kenntniswert – und diesen Anspruch erhebt Johnson auch für
seine eigenen Werke – ist ungleich höher als der der offiziel-
len Historiographie. Hier liegt der anfangs erwähnte "Ge-
brauchswert" dieser Literatur: Auch wenn sie nicht primär auf
Einfühlung und Identifikation zielt, so ermöglicht sie doch
ein Mitleiden mit den Opfern der Geschichte und soll zu prak-
tischen Konsequenzen Anstoß geben. Johnsons Roman ist durchaus als operative Literatur zu verstehen, auch wenn nur ein
Fernziel, der Sozialismus, genannt wird, ohne daß jedoch der
Autor oder seine Protagonistin wüßte, wie man dorthin zu gelangen könnte. Die Aufgabe, die somit dem Leser zugeschrieben
wird, ist ungleich größer als in Brechts "epischem Theater":
Der Autor macht aus seiner "Ratlosigkeit"[1] kein Hehl; am
Beispiel seiner Protagonistin demonstriert er, daß die Identifikation mit der einen oder anderen politischen Richtung
fast unmöglich geworden ist. So bleibt auch der Leser, will
er im Sinne des Romans aktiv werden, auf sich selbst verwiesen. Gleichwohl trifft ihn die Aufforderung zum Handeln, wie
sie für Gesine gilt: Sie hat "Auftrag"[2] dazu; aber die
historische Situation (und der desolate Zustand der politischen Linken) erlaubt ihr keine uneingeschränkte politische
Partizipation; sie bleibt Einzelgängerin. Analog dazu muß
auch der Leser sich selber raten, er muß für sich selbst
Möglichkeiten des Handelns suchen, die seiner individuellen
Situation adäquat sind. Dieselbe konsequente Moral, die die
Personen des Romans auszeichnet, gilt auch für den Rezipienten; die Bedingungen der Rezeption sollen im folgenden näher
erläutert werden.

1) Im Sinne des eingangs zitierten Benjaminschen Mottos.
2) S. 582.

2) Der nicht-aristotelische Roman

Daß die traditionelle Gattungseinteilung fragwürdig geworden ist, hat sich seit Brechts "epischem Theater" dem
allgemeinen Bewußtsein eingeprägt. Das Problematischwerden
des Dialogs als des konstitutiven Moments der dramatischen
Gattung[1] zeitigte die Reihe der "Rettungs"- und Lösungsver-
suche; überwunden wird die Krise durch die Auflösung
Gattungsgrenzen, insbesondere durch die Ausweitung des Dramatischen ins Epische. Das Drama wird so aus seiner "Absolutheit"
gelöst: Soziale Zusammenhänge können mit einbezogen werden,
desgleichen die Zeit als Faktor der Entwicklung, und der Zu-
schauer wird aus seiner rezeptiven Passivität gelöst und unmittelbar angesprochen; speziell der "offene Schluß" der
Brechtschen Stücke soll zur Aktivierung des Zuschauers beitra-
gen.[2]

In einem theoretischen Fragment[3] hatte Brecht die Konzep-
tion eines "nicht-aristotelischen Romans" in Analogie
zum nicht-aristotelischen Drama verlangt: Die herkömmliche
geschlossene Fabel reiche nicht mehr aus, einen komplexen,
in sich widersprüchlichen Sachverhalt in seinen verschiedenen
Dimensionen darzustellen. Zudem verweise die geschlossene Fabel den Rezipienten in die Haltung der ehrfürchtig vollzogenen
Betrachtung des hermetisch abgedichteten Ganzen.

Hier setzte Johnson bereits mit seinen "Mutmaßungen" ein, einem Werk, das - unter Verwendung "avantgardistischer" Techni-
ken - Brechts Postulat in die Praxis umzusetzen versucht.[4]

----

1) Vgl. dazu Peter Szondi: Theorie des modernen Dramas (1880-
   1950). 8.Aufl., Frankfurt/M. 1971, S. 14f.
2) Szondi, a.a.O., S. 115ff.
3) Bertolt Brecht, Gesammelte Werke, Bd. 18, Frankfurt/M. 1966,
   S. 17f.
4) Vgl. dazu Neumann, a.a.O.

Die geschlossene Fabel wurde zertrümmert. (Daß es dennoch
möglich ist, den "roten Faden" der Handlung in den "Mutmaßungen" herauszufinden, macht die Untersuchung von Popp[1] deutlich, die mit der These von der prinzipiellen Undurchdring-
lichkeit von Johnsons erstem Roman aufräumt.) Entthront wurde der allwissende Erzähler: durch "polyperspektivisches"
Erzählen[2] wird seine Position in Frage gestellt. Auffällig
ist die Bedeutung der Dialoge: Hier - und nicht im Bericht
des Erzählers - kommt man der "Wahrheit" über Jakobs Tod am
nächsten. In den "Jahrestagen" greift Johnson gleichfalls zum
nicht-aristotelischen Instrumentarium, freilich in modifizierter Form. Leitendes Prinzip ist, hier wie dort, die Suche
nach Wahrheit, die die Struktur des Romans bestimmt. Wurde
in den "Mutmaßungen" die Suche mehrerer Personen nach der Wahrheit über den Tod Jakobs vorgeführt, so steht in den "Jahres-
ragen" Gesine allein mit ihren Recherchen, die zudem noch weit
in die Vergangenheit zurückführen. Das moralische Problem,
was Wahrheit ist, erweist sich zugleich als ein formales: In
ihm manifestiert sich das Problematischwerden der epischen Gattung, speziell des Romans:
"Fragwürdig" geworden ist der Erzähler, der, noch von Thomas
Mann als "raunender Beschwörer des Imperfekt" apostrophiert,
seine Allwissenheit eingebüßt hat. Nicht nur, daß die Erzählerin Gesine, auf den Wissenshorizont des durchschnittlichen
Zeitgenossen beschränkt bleibt (was ihre Glaubwürdigkeit allerdings erhöht); sie muß zu Hilfsmitteln greifen, deren der auktoriale Erzähler nicht bedarf. Sie versucht sich zu helfen
durch Einfügen dokumentarischer Passagen, aber die New York
Times, ihr Hilfsmittel, erweist sich oft als unzuverlässig.[3]
Die Realität selbst kann irreführen:"Double cross"-Situationen[4]

----

1) Hansjürgen Popp: Einführung in Uwe Johnsons Roman "Mutmaßungen über Jakob", Beiheft I zu 'Der Deutschunterricht'.
   Stuttgart 1967.
2) Neumann, a.a.O.
3) Vgl. das Kapitel "Zwischen dokumentarischer und fiktiver
   Literatur".
4) Ebd.

täuschen mit scheinbar realen Tatsachen, ob es sich nun um
den schwarzen Chauffeur Arthur oder um die scheinbare Freundlichkeit des Vizepräsidenten de Rosny handelt.
So wird Gesine auf der Suche nach Wahrheit wieder auf sich
selbst, auf ihr kritisches Bewußtsein verwiesen (das freilich,
als Gedächtnis, trügerisch sein kann, aber doch ihre einzige
Hilfe bleibt). Sie muß Wahrheit "fingieren", erfinden,in
sich selber finden: "So muß es damals gewesen sein". (Wobei
sie sich zwar in die Karten schauen läßt, aber trotzdem auf
der Wahrheit ihrer Erzählung insistiert[1].)
Aber der Gegenstand ihres Erzählens fügt sich nicht einfach
in die Erzählung; die "Erzählobjekte" (Cresspahl, Lisbeth)
"protestieren". Die moralischen Zweifel, die die Erzählerin
an der Richtigkeit ihrer Erzählung haben mag, wenden sich
gegen sie, wenn die Stimmen der Toten ihr vorwerfen, daß sie
selbst es nicht besser mache[2]. Indem die epische Mittelbar-
keit durch den unmittelbaren Dialog zwischen Gesine und ihrem
Erzählobjekt gesprengt wird (und indem sich die Vergangenheit
im imaginierten Dialog unmittelbar vergegenwärtigt), schwin-
det die Trennung zwischen Vergangenheit und Gegenwart: Die
unbewältigte Vergangenheit ragt in die Gegenwart hinein. Was
temporal als Kriterium der abgeschlossenen Vergangenheit fungiert und dem Zuhörer erlaubte Entspannung signalisieren sollte[3], wird zum ungelösten Problem der Gegenwart nicht zuletzt
für den Rezipienten, der erkennen muß, daß auch für ihn rele-
vante Probleme hier verhandelt werden.
Auch steht die Erzählerin Gesine nicht mehr souverän über ihren Gestalten, sondern wird in deren Dialog mit hineingezogen

----

1) Vgl. die Dialoge mit Marie (z.B. S. 296ff., S. 454ff.)
2) Vgl. das Kapitel "Schuld".
3) Harald Weinrich ordnet der Tempusgruppe II, zu der auch
   das Präteritum ("Imperfekt") zählt, den "Tempora der erzählten Welt" zu; sie signalisieren dem Zuhörer oder Leser
   die Fiktivität des Geschehens und gestatten ihm - wie
   Weinrich mehrmals nachdrücklich vermerkt - die entspannte
   Haltung dessen, der nicht unmittelbar betroffen ist. (Harald Weinrich: Tempus. Besprochene und erzählte Welt.
   Stuttgart 1964, S. 44ff.)

und ist ihrer Kritik ausgesetzt. Gesines Meinung kann keine
höhere Gültigkeit beanspruchen als die der anderen Dialogpart-
ner. Insofern ist die "Polyphonie", wie sie Johnson bereits
in den Dialogen der "Mutmaßungen" praktizierte, auch hier wieder vorhanden.[1]

"Widerstand" leistet aber auch der (potentielle) Zuhörer. Marie führt dem Leser vor, wie er sich verhalten soll. Sie
lehnt sich nicht behaglich zurück und lauscht den Erzählungen
aus alter Zeit, sondern stellt Zusatzfragen, verlangt größere
Präzisierung und vor allem Garantien für die Echtheit des Berichts.

Die Aktivität, die vom Leser verlangt wird, geht freilich noch
darüber hinaus: Ihm obliegt es, die "Leerstellen"[2] der Erzählung nach bestem Wissen und Gewissen zu füllen. Er soll die Widersprüche und Paradoxien des Textes zwar nicht auflösen, aber
in ihrer Widersprüchlichkeit zu erfassen suchen. Nicht geschlossene Totalität ist daher das Werk, sondern "work in
progress", Vorführung des Erzählvorgangs, der durchsetzt ist
von den Zweifeln und Einwänden aller am erzählerischen Kommu-
nikationsvorgang Beteiligten.[3] Die "Jahrestage" als "nicht-
auratisches" Werk (im Sinne von Benjamins Terminologie) sind
zumindest tendenziell dazu prädestiniert, den Leser durch de-
mokratische Partizipation am Produktionsprozeß des Werkes zu
beteiligen:

"Der Text eines nichtauratischen literarischen Werkes bekommt
Appellcharakter, indem er die Innovation des Lesers oder Zuschauers provoziert. Er kann dies nur aufgrund einer Textstruk-
tur, die den Rezipienten nicht an die Kette autoritär

---

1) Zur "Polyphonie" der Dialoge in den "Mutmaßungen" vgl. Neumann, a.a.O., S. 138f:
   "Johnson 'beerbt' den 'Modernen' Faulkner vor allem in der
   Übernahme des differenzierten und artistischen 'Erzähl -Ro-
   mans', wie er in 'Absalom, Absalom!' vorliegt als Auflösung
   der geschlossenen Präsentation der Fabel in eine polyphone
   dialogische Stimmführung, in der neben den Bericht des
   'herkömmlichen' Erzählers verschiedene Sprecher treten, die
   sich am Prozeß der Wahrheitsfindung beteiligen, wobei das
   Wissen des Erzählers das der Personen nicht übersteigt[...]".
2) Vgl. dazu das Kapitel "Intermittieren des Erzählens."
3) Vgl. dazu das Kapitel "Zwischen Darstellungs- und

vermittelter Eindeutigkeit legt, sondern vielmehr den Spielraum für solche rezeptive' Innovationen schafft." 1)

Das zentrale Problem, sowohl für den Autor wie für den Leser,
ist, wie erwähnt, die Frage der Wahrheit, die in diesem Fall
generell die Wahrheit über die Geschichte, zumal über die
deutsche, aber auch die über die anderen politischen Systeme
darstellt. "So leben wir"[2], um die Darstellung der conditio
humana in unserem Jahrhundert geht es. Der Bezug zur außerliterarischen Realität liegt auf der Hand: Nicht irgendeine
fiktive Vergangenheit soll dargestellt werden, sondern "unser Leben"; nicht im Sinne einer Abbildtheorie, aber doch
so, daß der Rezipient im fremden Leben das eigene erkennen
kann. Historische Treue des Dargestellten ist notwendig;
nicht im luftleeren Raum darf die Fabel angesiedelt sein,
sondern sie muß in der sozialen Wirklichkeit glaubhaft nachprüfbar sein. Das letzte Wort hat der Leser, der, laut Johnsons Anweisung, nur akzeptieren soll, was ihm selbst zuträg-
lich erscheint.[3]

----

noch Fußnote 3) v. S. 122
  Rezeptionsästhetik".

----

1) Karl Robert Mandelkow: Rezeptionsästhetik und marxistische
   Literaturtheorie. In: Historizität in Sprach- u. Literaturwissenschaft. Vorträge des Stuttgarter Germanistentages 1972;
   hrsg. von W.Müller-Seidel.München 1974,S.379-388(Zitat S.384).
2) Johnson im Gespräch mit M. Durzak ("Gespräche",
   a.a.O., S. 431).
3) "Sie sind eingeladen, diese Version der Wirklichkeit zu ver-
   gleichen mit jener, die Sie unterhalten und pflegen. Vielleicht paßt der andere, der unterschiedliche Blick in die
   Ihre hinein." (Uwe Johnson:Vorschläge zur Prüfung eines Romans. In: Romantheorie. Dokumentation ihrer Geschichte in
   Deutschland seit 1880.Hrsg.v.E.Lämmert u.a. Köln 1971, S.398-
   403 (Zitat S. 403).

3) Zwischen fiktiver und dokumentarischer Literatur

"Noch ein Besuch in Mrs. C.s liebstem Restaurant, dem 'Heiligen Wenzel'; wiewohl es das nicht gibt, betrug die Rechnung über 30.00 Dollar. Ein Besuch in der Schule jener Marie Cresspahl, und doch eine Umfrage unter den Kindern zum Thema des Lebensgefühls zwischen zehn und elf Jahren."

So der Details für seinen Roman sammelnde Autor in seinem Rechenschaftsbericht anläßlich der Verleihung des Büchner-Preises;[1] er "überprüft" noch einmal den New Yorker Schauplatz des Geschehens auf seine topographische, soziologische, psychologische Richtigkeit. Ähnlich exakt sind seine historischen Recherchen, die er beispielsweise im Zusammenhang mit dem KZ-Schiff "Cap Arkona" anstellte.[2] Authentisch bis ins Detail ist die Besichtigungsfahrt in die Holsteinische Schweiz. Nachprüfbar sind die Zitate oder kommentierten Zusammenfassungen von Artikeln aus der "New York Times". Wenn die Kritik dem Autor Detailversessenheit[3] attestiert, so übersieht sie die Funktionsgebundenheit dieser sorgfältig zusammengetragenen Einzelmomente: Sie sind nicht Staffage für einen beliebig vertauschbaren Stoff (wie etwa in den Romanen Simmels, der, nach eigenen Angaben, jeden Meter Schauplatz seiner Romane vermißt).[4] Johnsons nachprüfbare Details konstituieren eine jeweils historisch und geographisch konkrete Wahrheit: die Lebensbedingungen konkreter Menschen an einem bestimmten Ort zu einer bestimmten Zeit. Ohne glaubhafte Faktizität keine Wahrheit: Der ungläubige Leser muß den Finger auf jede Einzelheit legen können, damit er sich überzeugt. Auf den Anspruch

---

1) Uwe Johnson: Büchner-Preis-Rede 1971. Zitiert nach: Büchner-Preis-Rede 1951-1971, Stuttgart 1972, S.216-240 (Zitat S. 234).
2) Vgl. dazu das Interview mit Durzak "Gespräche", a.a.O., S. 457.
3) "Dieser Autor [...] glaubt an das Statistische. Er klammert sich an jenen Rettungsanker der Impotenz [...]". So - anstelle einer Vielzahl von Belegen-G.Blöcker in seiner Rezension des 3. Bandes der "Jahrestage" (Deutschlandfunk, 16. Dezember 1973, Manuskript S. 1).
4) Vgl. dazu Rudolf Riedler: Gespräch mit Johannes Mario Simmel in: Helmut Popp(Hrsg.:) Der Bestseller.München 1975,

historischer und geographischer Treue will der Autor nicht
verzichten: Die "Jahrestage" als "Chronik" sind zeitlich wie
räumlich eingebettet in die mecklenburgische Vergangenheit
wie die New Yorker Gegenwart. Elemente der außerliterarischen
Realität werden in großem Umfang integriert; ihre Glaubwürdigkeit
beziehen die "Jahrestage" zum Teil aus diesem partiell
dokumentarischen Charakter.
Neben der Annäherung an dokumentarische Verfahren bedient sich
Johnson der Soziologie als weiterer Legitimation einer Schreib-
weise, der die naive Selbstverständlichkeit des Fabulierens
längst abhanden gekommen ist und die daher der Absicherung
durch äußerliche Bezüge bedarf. Speziell in die Beschreibung
New Yorks werden essayistische Passagen eingefügt, in denen
Gesine scheinbar ihre unmittelbare Umgebung beschreibt, de
facto aber ein Stück Sozialgeschichte bietet[1]. Gerade im
ersten Band kontrastieren solche halb beschreibenden, halb
reflektierenden Passagen mit dem Gerüst der Jerichow-Erzäh-
lung, und ihre Handlungsarmut steht im Gegensatz zu der "spannenden" Handlung in der Vergangenheit. Johnson beschreibt den
"altgewordenen" Broadway, seine ökonomisch bedingte Genese
und die Auswirkungen der weiteren Entwicklung.[2] Abstraktes
und Konkretes, wirtschaftlichen Tendenzen und deren unmittelbare und mittelbare Auswirkung auf die Betroffenen (Wie reagiert man, wenn das langjährige Stammcafé plötzlich schließen
muß?) werden exakt aufeinander bezogen:

"Fünfzehn Jahre lang bin ich hierher gegangen, jeden Abend:
Ida Bess. - Fünfzehn Jahre? Ich esse hier seit dreißig Jahren: Rose Katz. - Wirklich schade. So treue Kunden hab ich
noch nie erlebt: Steve Kelly." 3)

---

noch Fußnote 4) v.S. 124
  S. 35 - 40.

---

1) S. 26, S. 34, S. 50, S. 96 u.a.
2) Vgl. dazu das Kapitel "Sprache".
3) S. 97.

Beschrieben wird die Geschichte eines Verfalls: Das Verhalten der dort Lebenden, Emigranten zumeist, die mühsam ihren
bürgerlichen Status aufrechterhalten. Noch ist es eine re-
putierliche Straße, in der Mrs. Cresspahl wohnt. Das Neger-
kind Francine aus den Slums staunt über den unaufdringlichen
Service, der das Leben komfortabel macht. Aber man fragt sich,
wie lange noch die Verslummung, die bereits die Nebenstraßen
ergriffen hat, vor dem Riverside Drive haltmacht.
Ein ganzes Gerüst von soziologischen "Fallstudien" durchzieht den Roman und widerspricht dem gängigen Erzählschema.
Beschreibung und Reflexion, vermittelt mit ökonomischen Hin-
tergrundinformationen, ersetzen hier weitgehend die übliche
Story, drängen sie zumindest in den Hintergrund. Entwicklungen und Strukturveränderungen, das heißt: Geschichte als Prozeß, findet auf diese Weise Eingang in den Roman.
Dennoch wird der Leser nicht mit reiner Gesellschaftswissen-
schaft konfrontiert: Es ist wiederum Gesine, die Reflexion
mit Anschauung verknüpft. Sie vermittelt diese Passagen aus
dem Leben, das - im weitesten Sinn - ihr eigenes ist und bet-
tet so ihr individuelles Dasein in einen sozialen Kontext
ein. Die Wissenschaft, zumal die Soziologie, bisweilen auch
die Ökonomie, derer sie sich bedient, werden jeweils konkret
bezogen auf das Leben der Betroffenen, das mit zu dieser (weitgehend außerliterarischen) Realität gehört, auf die der Autor
um der Wahrhaftigkeit seines Romanes willen nicht verzichten
mag.
Trotzdem ist es kein dokumentarischer Roman, den er geschrieben hat. Deutlich grenzt sich der Autor von der durchgängigen
dokumentarischen Methode ab, deren sich etwa Lettau im "Täglichen Faschismus"[1] bedient. Trotz mancher inhaltlicher Kon-
gruenzen (Rassenfrage ect.) distanziert sich Johnson von dieser Verfahrensweise. Zugrunde liegt die Überzeugung, daß sich
faktische Realität und Wahrheit nicht immer decken:

---

1) Vgl. das Interview mit Durzak ("Gespräche", a.a.O.,
   S. 447).

"Nie habe ich die Wahrheit versprochen.
Gewiß nicht. Nur deine Wahrheit.
Wie ich sie mir denke." 1)

So Gesine im Gespräch mit ihrer Tochter, in dem sie die Prinzipien ihres Erzählens darlegt. Die scheinbar allwissende Erzählerin läßt sich in die Karten schauen; sie berichtet von
historischen Materialien: Büchern, Filmen etc., die ihr als
Vorlage gedient haben. 2) Aber sie hebt deutlich die intellektuelle Kraft des Subjekts hervor, das diese Materialien nicht
nur auswählt und arrangiert, sondern mit der Helle seines Bewußtseins zu durchdringen vermag. Am Anfang ihrer Beispielse-
rie steht "Friedrich Jansens Spreizbeinmeter"; aus dieser
prahlerischen Geste (deren Bild ihr Gedächtnis aufbewahrt hat)
vermag sie nicht nur die Zentralfigur des Naziregimes in Jerichow, sondern darüber hinaus das Wesen des Faschismus zu entwickeln. 3)
Abgewehrt wird reiner "Objektivismus", blinde Faktengläubigkeit;
wichtig ist vielmehr, welche Wirkung die Fakten hervorrufen.
Deutlich wird dies am Beispiel eines Zeitungsfotos, das die
Erschießung eines gefangenen Vietkong durch einen südvietna-
mesischen Brigadegeneral zeigt.

"Wenn in deiner Erzählung jemand erschossen wird, brauchst du
es mir nun nicht mehr zu beschreiben, Gesine," 4)

folgert die aufmerksame Tochter. Sie weiß, woran Gesine denken wird, wenn in ihrer Geschichte ein Mensch durch eine Kugel
stirbt. Die Ereignisse, von denen Gesine berichtet (im Zusammenhang mit der Reichskristallnacht wird ein Judenmädchen in Jerichow erschossen) werden ihr und dem Leser leichter zugänglich durch die zeitgenössische Parallele. Das Subjekt, das die
Brücke schlägt zwischen den Zeiten, vermag Vergangenes auf

----

1) S. 670.
2) Ebd.
3) Ebd.
4) S. 673.

diese Weise zu aktualisieren und das Gegenwärtige in einen
historischen Zusammenhang einzuordnen.

Die intellektuelle Kraft des Subjekts tritt auch überall dort
in Erscheinung, wo Anlaß besteht, dem äußeren Anschein zu mißtrauen. Als Beispiel sei Arthur, der schwarze Chauffeur des
Vizepräsidenten de Rosny angeführt. Er erscheint Gesine zunächst als Diener, der mechanisch Befehle ausführt[1], verwandelt sich dann aber in den "guten Kumpel", mit dem der allmächtige Bankier ein vertrauliches Gespräch von Mensch zu
Mensch führt[2]; die Aufmachung als Lakai wird angesichts von
soviel "Gleichberechtigung" zur Maskerade, die, wenn kein Bedarf besteht, wieder abgelegt werden kann (wie die reale Ver-
kleidung als Diener, mit der er Marie anläßlich eines "privaten"
Besuches beim Vizepräsidenten erfreut.)[3] Aber die eigentliche
Wahrheit liegt noch tiefer, und sie kommt dem ersten Eindruck
ziemlich nahe: Arthur ist lohnabhängig, und nur zu seiner eigenen Unterhaltung läßt de Rosny sich zu einem familiären Gespräch herab. Was als Gleichberechtigung erscheint, ist Teil
von Arthurs Dienst. Entsprechend gehört auch für die Angestellte Cresspahl die Teilnahme an einem Rugby-Spiel in der
Loge des Vizepräsidenten zu ihrem Dienst, der bis in die
Freizeit hineinreicht.[4]
Als ähnlich paradox erweist sich die Wahrheit im Falle der
Sowjets: Weder die herrenmäßig auftretenden "Zwillinge"[5] noch
der sentimentale Despot Pontij, der der Kirche in Jerichow
wieder zu einer Glocke verhilft[6], passen in das weitver-
breitete Klischee, von dem auch Maries Denken geprägt ist.
Noch deutlicher wird die Diskrepanz, wenn Gesine ihrer zwei-
felnden Tochter von der Gründung bürgerlicher Parteien durch

---

1) S. 78ff.
2) S. 81f.
3) S. 462.
4) S. 1003ff.
5) S. 1329f.
6) S. 1064f.

den sowjetischen Militärkommandanten berichtet: Wie beispielsweise Louise Papenbrock und Käthe Klupsch beauftragt werden,
eine christliche Partei zu gründen.[1] Hier kapituliert selbst
Marie und geht in die "double-cross"-Falle[2]; sie unterliegt
der "Vorspiegelung vermittels von Tatsachen".[3] Die eigentliche Wahrheit liegt wiederum hinter diesen zweifelsohne
"echten" Details: Es ist Cresspahls Verhaftung und seine Gefangenschaft in Kellern und Lagern, die brutale und erniedri-
gende Behandlung, der er ausgesetzt ist, und zwar ohne Prozeß,
ohne Urteil. Hier liegt der Kern der sowjetischen Herrschaft
im eroberten Deutschland: Sie mag manchmal erträglich, manchmal sogar erheiternd sein, doch immer drohen Willkür und Gewalt.

Wahrheit, wie Gesine sie in ihrer Erzählung zu vermitteln
sucht, ist Wahrheit für die Betroffenen. Zwar geht an der
äußeren Realität kein Weg vorbei; jeder Versuch, sie zugunsten
einer Theorie oder aus "pädagogischen" Gründen zu manipulie-
ren, wird abgelehnt, weil er die historische Glaubwürdigkeit
herabmindern würde. Aber sie reicht nicht aus: Historisch
exakt werden die "Taten" der Deutschen Reichsregierung im
Frühjahr und Sommer 1933 beschrieben, wie sie sich aus Cresspahls englischer Sicht ausnehmen;[4] Betroffenheit beim Leser
löst dagegen das literarische Gegenstück jener Passage aus,
wo dargelegt wird, welche unmittelbaren Konsequenzen die ge-
nannten politischen Ereignisse im Mikrokosmos Jerichow hatten - und daß Lisbeth sie ihren Mann nicht schreiben mochte.[5] Reine historische Faktizität vermag den Leser nur wenig anzusprechen; erst die Konsequenzen für die Betroffenen
bieten neben der historischen Realität auch genügend Wahr-
heitsgehalt, um den Leser zu erreichen.

----

1) S. 1357.
2) S. 1358.
3) Ebd.
4) S. 351ff.
5) S. 354ff.

4) Zwischen Darstellungs- und Rezeptionsästhetik

Auf die Frage, für wen er schreibe, antwortete Johnson[1]:
"Für die Geschichte, die erzählt werden soll. Für den, der
sie liest." Die Reihenfolge mag auf den ersten Blick symptomatisch erscheinen für die Bedeutung, die Johnson dem Leser
seiner Werke beimißt: Auf ihn wird, so mag es scheinen, wenig
Rücksicht genommen. Nicht allein die Länge des Opus maximum
ist es, die sein Gedächtnis strapaziert; er muß auch speziel-
le Fakten, die beiläufig geboten werden, nachträglich in ihrer Relevanz erfassen: Der amerikanische Mitarbeiter einer
jüdischen Hilfsorganisation, der im August 1967 tot in Prag
aufgefunden wurde[2], muß ihm noch nach Hunderten von Seiten
im Gedächtnis sein, weil die gerichtliche Verfolgung des Mor-
des im Februar Gesines Hoffnungen auf einen menschlichen Sozialismus in Prag erweckt.[3] Er muß angesichts der zum Prinzip
erhobenen Diskontinuität von einer zeitlichen Ebene zur anderen wechseln und zwischen Jerichow und Manhattan den roten
Faden der Erzählung fest in der Hand behalten. Die Darstellungsästhetik scheint zu dominieren; der Leser muß, so scheint es,
sich dem Werk anpassen.
Bei näherem Zusehen erweist es sich jedoch, daß gerade die erwähnte Diskontinuität dem Leser weitaus größere "Mitsprache-
möglichkeiten" einräumt als die konventionelle Erzählweise.
(Daß auch seine Aktivität in weitaus höherem Maße beansprucht
wird als dort, liegt auf derselben Ebene.)
In seiner Abhandlung: "Die Appellstruktur der Texte" legt
Wolfgang Iser[4] dar, daß "Unbestimmtheit" wesentlichstes

1) Manfred Bosch/Klaus Konjetzky: Für wen schreibt der eigentlich? Gespräche mit lesenden Arbeitern. Autoren nehmen Stellung, München 1973. (Darin: Der Beitrag von Uwe Johnson,
S. 162f., Zitat S. 163).
2) S. 11f.
3) S. 689f.
4) Wolfgang Iser: Die Appellstruktur der Texte. Unbestimmtheit
als Wirkungsbedingung literarischer Prosa. In: Rainer Warning: Rezeptionsästhetik. Theorie und Praxis. München 1975.
(S. 228-54).

Kriterium eines literarischen (fiktiven) Texts sei; sie ba-
siere auf der "Manigfaltigkeit von Ansichten", die ein Text
entrolle und durch die er für den Leser konkret werde[1],
zwischen denen aber, besonders an den Schnittstellen, wo die
verschiedenen Ansichten zusammenstießen, eine "Leerstelle"[2]
entstehe, deren Ausfüllung der Phantasie des Lesers überlassen bleibe. Je höher der Präzisionsgrad des Darstellungsrasters, desto größer sei der Unbestimmtheitsgrad des Werks
und damit die Zahl der Leerstellen. Als Konsequenz daraus ergibt sich:

"Die Dichte des Darstellungsrasters, die Montage und Interferenz der Perspektiven, das Angebot an den Leser, identische
Vorkommnisse aus vielen einander gänzlich widerstreitenden
Blickpunkten zu sehen, macht die Orientierung zu einem Problem." [3]

Dem Leser zugeordnet wird nicht allein die Ausfüllung besag-
ter Lehrstellen, sondern auch die Aufgabe der Synthese:

"Wenn der Roman das Zusammenspiel seiner Blickpunkte verweigert, zwingt er den Leser zu einer eigenen Konsistenzbil-
dung." [4]

Die Synthese, das Urteil, das der Autor dem Leser vorenthält,
verlangt, je komplexer die Struktur des Erzählten ist, um so
mehr den Einsatz der gesamten Vorstellungskraft des Lesers.
Isers Explikationen lassen sich durchaus auf Johnsons Roman
anwenden. Auch hier ist die "extensive Totalität" (Lukács)
des konventionellen Romans zertrümmert und durch eine Vielzahl mosaik-artiger, teils berichtender, teils dialogischer
Partien ersetzt. An die Stelle des "allwissenden" Erzählers
ist eine mehr oder minder ratlose Gestalt getreten, die aus
ihrer eigenen Suche nach Wahrheit kein Hehl macht und deren

---

1) Iser, a.a.O., S. 234ff.
2) Ebd.
3) Iser, a.a.O., S. 245.
4) Iser, a.a.O., S. 246.

erkenntniskritische Zweifel die formale Beschaffenheit des
Werkes prägen.[1] Wo die Suche nach Wahrheit auf diese Weise
thematisch wird, steigt der Beteiligungsgrad des Lesers, dessen Fähigkeit zur Innovation eine nicht unwesentliche Aufgabe
im Rahmen des Ganzen zufällt.

Das Zusammenfügen einzelner Partien mag zunächst als "Denk-
sportaufgabe" erscheinen, die dazu dient, die Aktivität des
Lesers zu wecken. Aber die erzähltechnische Diskontinuität
hat mehr als nur pädagogische Zwecke. Der Leser, der, anfangs
sicherlich irritiert, von der Gegenwarts- zur Vergangenheitsebene und wieder zurückwechselt, gewinnt durch die Unterbre-
chung Möglichkeiten, den ausgesparten Zusammenhang selbst zu
ergänzen.[2] Überdies herrschen zwischen beiden Ebenen subtile
Zusammenhänge; eine wechselseitige Beeinflussung findet statt.
(Johnson akzentuiert die Nahtstellen durch "Wortspiele" und
andere Methoden des indirekten Anknüpfens.[3]) Im Bewußtsein
des Lesers wird ein buntes Gewebe aus verschiedenartigsten
Mustern und Strukturen hergestellt; erzählende Partien wechseln mit Dialogen; als "zweite Ebene" schalten sich die
"Stimmen" ein. Was für sich allein bedeutungslos erscheinen
könnte, gewinnt im Kontext (beispielsweise als Kontrast oder
komplementäre Ergänzung) erst seinen eigentlichen Stellenwert.

Ungleich weiter gefaßt ist die Aufgabe,des Lesers, wenn es um
das Ausfüllen ausgesparter Bereiche geht. Wenn er Gesines Ge-
fühlsleben, über das wenig ausgesagt wird, sich selbst zurechtlegen muß (inklusive des diffizilen Verhältnisses zu D.E.),
dann ist der "implizite Leser" ein integrativer Bestandteil
des Werkes, das ohne seine Aktivität unvollständig bliebe.[4]

Noch umfassender ist seine synthetisierende Funktion. Darge-
boten werden meistens Teilaspekte, die ein oft widersprüchli-
ches Bild ergeben; dem Leser bleibt es überlassen, die Summe
daraus zu ziehen.[5]

---

1) Vgl. das Kapitel "Der nicht-aristotelische Roman".
2) Vgl. das Kapitel "Intermittierendes Erzählen".
3) Vgl. den Passus "Die beiden Ebenen" im Kap."Intermittierendes Erzählen".

Daß dies Johnsons Intentionen entspricht, ist einem Interview zu entnehmen: Er biete eine Geschichte, der Leser solle
selbst die Konsequenzen daraus ziehen.[1]
Leicht gemacht wird es dem Leser nicht. Die Detailgenauigkeit
beugt eine... zu schnellen Urteil vor. Obstinate Widersprüch-
lichkeiten müssen zur Kenntnis genommen werden. Die Wahrheit
erweist sich als ein komplexes Gebilde. Durch den weitgehen-
den Verzicht auf auktoriales Erzählen hat sich Johnson selbst
der Möglichkeit begeben, ein letztes Wort zu sprechen; daher
muß der als mündig betrachtete Leser sich allein seinen Weg
zwischen den Details suchen.
So z.B. angesichts der offenkundigen Parallelisierung von
faschistischer Diktatur und Vietnamkrieg. Der Leser, der zur
Kenntnis genommen hat, wie Gesine ihrer Tochter deren Krieg
zeigte, und der die Parallele vom "versteckten Krieg" auf dem
Flugplatz Mariengabe im Gedächtnis behalten hat[2], wird verwundert registrieren, wie Johnson mit heftigen Ausfällen gegen Hans Magnus Enzensberger[3] reagiert, als dieser die besag-
te Parallelisierung gleichfalls, wenn auch in recht plumper
Form, vollzieht. Johnson setzt sich gegen die differenzlose
Subsumierung der amerikanischen Realität unter die Formel vom
"täglichen Faschismus" satirisch zur Wehr, indem er das Bild
eines NS-Amerika entwirft, wo die Neger, wie einst die Juden
in Deutschland, mit brutaler Gewalt traktiert werden. Wichtig
sind - neben den nicht zu leugnenden Gemeinsamkeiten - auch
die Unterschiede; sie sollen gleichermaßen festgehalten werden. Johnson macht deutlich, wie viel das von der Faschisie-
rung bedrohte Amerika vom offenen Unrechtsstaat trennt. Der
Leser ist gehalten, beide Seiten zusammenzusehen: Parallele
und Nicht-Parallele. Er muß den Widerspruch auflösen, indem
er das dialektische Wechselverhältnis zwischen beiden in

noch Fußnote von S. 132
4) Vgl. den Passus "Leerstellen" im Kapitel "Intermittierendes
   Erzählen".
5) Ebd.

1) Vgl. das Interview mit Durzak: " Gespräche", a.a.O.,
   S. 430.
2) Vgl. S. 491ff. (siehe auch das Kapitel "Schuld").

seinem Bewußtsein austrägt.

Die angeschnittenen Probleme rühren an die Grundwidersprüche unseres Zeitalters, und es entspricht der Redlichkeit des Autors, wenn er einen in der Realität liegenden Widerspruch als solchen darstellt und auf eine vorschnelle Auflösung verzichtet. So z.B. wenn Gesine sich der Teilnahme an einer Vietnam-Demonstration widersetzt, mit deren Zielsetzung sie sich allenfalls partiell identifizieren könnte.[1] Ihr widerstreben die Nebenabsichten, die impliziten Tendenzen, die ungewollten Folgerungen. Die Konsequenz ist der Verzicht auf politische Aktivität; Gesine begnügt sich nolens volens mit der Zuschauerrolle. So begreiflich diese Abstinenz erscheint, da sie dem Postulat absoluter Wahrhaftigkeit entspricht, so wird Gesine doch vom Vorwurf des Hochmuts getroffen. Wer nirgends bereit ist, Kompromisse zu schließen (und sich damit unter Umständen auch zu kompromittieren), gerät in den Verdacht moralischer Überheblichkeit, gegen den sich Gesine vergeblich wehrt.[2] Die Verhältnisse bringen es mit sich, daß sie sich keiner der politischen Kräfte anschließen kann; nirgends gibt es für sie einen Ansatzpunkt, der ihr zugleich ihre verlorene politische Identität wiedergeben könnte. Selbst die Prager Lösung ist in mancher Hinsicht fragwürdig[3]. Und doch macht sie sich schuldig, wenn sie sich dem Auftrag der Toten widersetzt und einem neuen Krieg nicht nach Kräften entgegentritt.[4]

Formal kommt der nicht aufgehobene Widerspruch zum Ausdruck in der "verfremdeten" Kommunikations- bzw. Erzählsituation: Wenn auch die Erzählerin Gesine versucht, ihren Gegenstand in auktorialer Manier der Zuhörerin Marie darzubieten, so stößt

----

noch Fußnote von S. 133
3) S. 794 ff.

----

1) Vgl. die Kapitel "Schuld" und "Von der Möglichkeit und Unmöglichkeit des Handelns".
2) Vgl. Die Attacke der "Stimmen", nachdem Gesine die Teilnahme an der Vietnam-Demonstration verweigert hatte: "Ein kleiner Fehler in der Schönheit der Tat, und du begehst sie nicht" (S. 208).
3) Vgl. das "Verhör" durch die Toten (S. 619ff.).

sie doch auf den Protest nicht nur der Tochter, sondern auch
der Toten, die, als Objekt des Erzählens, sich gegen die Erzählerin auflehnen.[1] Der Leser, in die Mitte zwischen die di-
vergierenden Auffassungen gestellt, mag selbst entscheiden,
bei welchem der Kommunikationspartner er am ehesten Wahrheit
vermutet; oft genug wird er ein nicht mit einfachen Formeln
zu lösendes Dilemma konstatieren.
Als Hauptthema schält sich die Frage nach der Möglichkeit des
"richtigen" Lebens in einem Unrechtssystem heraus[2], und die
generelle Antwort, daß im "falschen Leben" kein richtiges möglich sei, erspart dem Leser nicht die Frage, wie der einzelne sich jeweils im konkreten Fall verhalten solle. Insofern
wird dem Leser hier echte Freiheit eingeräumt, die allerdings
keine Beliebigkeit ist: Er ist gehalten, über die Möglichkeiten der Eudaimonie nachzudenken; wo seine Lösungsvorschläge
die strengen moralischen Ansprüche des Werkes verletzen, können sie nicht akzeptiert werden. Erzähltheoretisch bedeutet
dies: Zwar gibt es keine absolute Wahrheit, sondern es bleibt
dem Leser überlassen, nach Maßgabe der Prämissen sich seine
Wahrheit zu finden; insofern vermeidet der Erzähler jede Mo-
nosemie. Indem er aber durch Detailgenauigkeit und das Heran-
ziehen immer neuer kontroverser Aspekte ein schwer auf den Begriff zu bringendes Ganzes schafft, zwingt er den wahrheits-
suchenden Leser zu strengster Exaktheit. Eine beliebige Ausfüllung der ausgesparten Sinndeutung erlaubt der Autor nicht
im Interesse der von ihm als Aufgabe verstandenen Wahrheit.
Das "fabula docet" müßte zumindest den Intentionen des Autors

---

noch Fußnote von S. 134
4) S. 582ff (gleichfalls ein "Verhör" durch die Toten).

---

1) Vgl. das Kapitel "Der nicht-aristotelische Roman".
2) Vgl. das Kapitel "Schuld".

entsprechen; insofern kann also von einer vollkommenen Poly-
semie nicht die Rede sein. Hier macht sich wieder als Gegen-
part die keinesfalls zu vernachlässigende Darstellungsästhetik
bemerkbar, die der eventuellen Willkür des Lesers einen Riegel
vorschiebt.

5) Dramatisierung

"Es tut mir leid, daß sie ihn erschossen haben.
Es tut Ihnen nicht leid, Mrs. Cresspahl, madam.
Wir leben in diesem Haus zusammen seit sechs Jahren, Bill.
Martin Luther King war ein schwarzer Mann, wie ich. Sie ge-
hören zu den Weißen". 1)

In der äußeren Realität bringt Gesine, die dem schwarzen Fahr-
stuhlführer ihr Beileid zu der Ermordung Martin Luther Kings
aussprechen möchte, kein Wort über die Lippen, und Bill kann
nach außen hin so höflich bleiben wie immer. Nur in Gedanken
wird dieser Dialog geführt, so daß die Fassade der Konvention
gewahrt bleibt.
Die Erzählerin Gesine, die sich - erinnernd oder imaginierend -
die Stimmen aus der Vergangenheit ins Bewußtsein ruft, spricht
auch mit den Lebenden oft nur "stumm, blickweise, in Gedanken". 2)
Oft wird sie auf diese Weise in einen Disput mit ihren Gesprächs-
partnern verwickelt, der ihre Position in Frage stellt. Gemes-
sen am Kriterium der Wahrheit kommt diesen fiktiven Auseinan-
dersetzungen ein höherer Rang zu als der scheinbar konflikt-
losen Realität: Hier werden die Kontroversen ausgetragen, die
ansonsten mit Kompromissen und Halbherzigkeiten zugedeckt und
verkleistert werden.
In Gedanken wird die Mauer wohlerzogenen Lügens durchbrochen,
die die weißen Cresspahls von dem schwarzen Kind Francine
trennt:

Jetzt hast du es gesehen, Marie.
Nichts habe ich gesehen. Eine kranke Frau.
Jetzt lügst du, Weiße.
Meine Lügen gehen dich nichts an.
Diese wohl.
Zum Reden darüber kriegst du mich nicht, Francine.
Ich komme mit, aber ich glaube euch nicht. 3)

In der äußeren Realität trägt zwar Francine eine spöttische
Miene, weil sie die Beklommenheit der Weißen angesichts des
Elends der Unterprivilegierten registriert, aber sie wagt es
nicht, die Weißen zum Eingeständnis ihrer Verlegenheit zu
zwingen.

----

1) S. 957.
2) S. 20.

Daß die Gattungsgrenzen gesprengt werden durch die eingefügten
Dialoge und daß die dem Erzähler untergeordnete "mittelbare"
Epik abgelöst wird durch "dramatische" Elemente, gehört zu wichtigsten Elementen des nicht-aristotelischen Erzählens. Die"Jahrestage" kennen zunächst, im Gegensatz zu den "Mutmaßungen", keine echte Polyperspektivik; denn auch der "Genosse Schriftsteller"
nimmt erzähltechnisch keine Gegenposition zu Gesine ein.[1] Erst
die Stimmen, zumeist die der Toten, die - zitiert oder ungeru-
fen - sich zu Wort melden, bilden eine echte Opposition zur Er-
zählperspektive Gesines. Gesine hat, dies wird im Verlauf der
"Jahrestage" deutlich, keine Macht über die Stimmen. Oft genug
muß sie sich unfreiwillig ihrem Verhör stellen:
"Diese Ausfragerei immer! Nur weil ihr es hinter euch habt!"[2]

Aus dem Zitieren eines Dialogs wird dann ein Überspringen der
Zeitgrenzen, und die gesuchte Wahrheit wendet sich gegen die Erzählerin. Ihr epischer Bericht erweist sich immer häufiger als
unzulänglich, er wird von den Toten korrigiert. Der dramatische
Dialog tilgt die zeitliche Differenz zwischen dem Damals und
dem Heute;[3] er vergegenwärtigt nicht nur, sondern zieht eine
Verbindungslinie von der Erzählerin zu ihrem Gegenstand. Die
Wahrheit ist unteilbar, sie erfaßt auch die "auktoriale" Erzählerin Gesine.

----
noch Fußnote von S. 137
3) S. 708.

----
1) Vgl. das Kapitel "Wer erzählt hier eigentlich?".
2) S. 581.
3) Dieser Sachverhalt steht in scheinbarem Widerspruch zu der
   Tatsache, daß die Vergangenheit für Gesine "tot" ist (Vgl.
   ihre Äußerungen im Kapitel "Jerichow"). Doch sind die Probleme von damals noch immer ungelöst und drängen sich deshalb in die Gegenwart hinein. Gesine weiß genau, daß sie
   eine Lösung dieser sich ständig neu aktualisierenden Probleme nicht in der Vergangenheit finden kann (Vgl. ihre
   Äußerung: "Dorthin will ich nicht zurück", S. 1008), sondern
   nur in der Zukunft.

Scharfe Schnitte trennen die fingierten Dialoge vom epischen Kontext. Der Zusammenhang muß vom Leser hergestellt,
manchmal auch mühsam eruiert werden. Der epische Bericht,
der ohnehin kein Kontinuum darstellt, wird kontrapunktiert
oder kommentiert von den fiktiven Dialogen, die seine Aussa-
ge häufig relativieren. Die Toten ihrerseits sind in ihrem
Urteil nicht immer unanfechtbar, auch nicht in ihrer Kritik
an Gesine, die des öfteren Pluspunkte im Streitgespräch ein-
sammelt. So ergibt sich ein echter "Pluralismus" der Werte;
oder genauer gesagt, die "Ratlosigkeit", die letztendlich
diesem Buch zugrunde liegt, manifestiert sich in der Viel-
falt, ja Diskrepanz der Meinungen, über die ein abschließendes Urteil wiederum dem Leser überlassen bleibt.

5) "Intermittierendes Erzählen"
----

a) "Leerstellen"
- - - - - - -

Schon früh erfährt der Leser, daß D.E. "die Familie Cresspahl"[1] (S. 42) heiraten möchte. Gesines Antwort wird nicht
direkt mitgeteilt, jedoch taucht wenig später das Fragment
eines fiktiven Gesprächs auf, das sie – während sie ihr Verhältnis zu Erichson reflektiert – in Gedanken mit ihm führt:

"Du willst nur nicht allein sein, wenn du stirbst.
Bei mir wäre aber das Kind versorgt."

Ob sie ihm auf seinen Antrag tatsächlich diese Antwort gegeben
hat, vermag der Leser nicht zu entscheiden. In welcher Relation beide Gespräche, das reale (nicht überlieferte) und das
fiktive (das sie wörtlich referiert), zueinander stehen, muß
er sich selbst zurechtlegen.
Folgender in sich selbst widersprüchlicher Sachverhalt ergibt
sich: Obwohl Gesine D.E. nicht heiraten will, ihn wahrscheinlich nicht einmal liebt, trennt sie sich nicht von ihm. Wenn
sie auch seinen Beruf und sein "technokratisches" Verhältnis zu
diesem Beruf mißbilligt, setzt sie doch ihr Verhältnis zu ihm
fort. Ist es die gemeinsame Heimat, die sie beide verbindet?
Aber Erichson hat Mecklenburg und seine eigene Vergangenheit
längst abgestreift, sein Lebenslauf hat nur noch tabellarischen
Charakter[3]. Oder ist es Gesine selbst, die beim Sterben nicht
allein sein will – und vielleicht auch nicht beim Leben?
Dies alles sind Hypothesen, die nirgends im Text ihre aus-
drückliche Bestätigung finden und die sich doch ergeben aus
der nicht ausdrücklich geregelten, vom Leser also selbst
herzustellenden Beziehung zwischen den beiden referierten

----
1) S. 42.
2) S. 43.
3) S. 816.

Textstellen. Die hier vorhandene "Leerstelle"[1] ist es, die den Leser bewegt, den vorhandenen Widerspruch zwischen beiden Texten exakt zu fassen, wobei ihm eine befriedigende Lösung des Problems wohl kaum gelingen wird. Offensichtlich liegt die Ambivalenz in der Natur der problematischen Beziehung; dem Leser werden ihre verschiedenen Aspekte vorgesetzt, aus denen er sich selbst ein definitives Urteil bilden soll. Der Autor wie auch Gesine selbst vermeiden es strikt, in Sachen D.E. zu einem **endgültigen** Ergebnis zu kommen. Diese Aufgabe des Lesers, ein abschließendes Urteil zu bilden (in diesem Falle ein Urteil darüber, daß ein solches Urteil aufgrund der vorhandenen Widersprüche nicht möglich ist und daß daher alles in der Schwebe bleiben muß), erweist sich als konstitutives Element des Romans. Weite Bereiche, insbesondere wo es um das Seelenleben der Protagonistin, aber auch um das ihres Vaters geht, sind vom Autor bewußt als "Leerstellen" angelegt, die der interpretierenden Aktivität des "impliziten Lesers"[2] bedürfen.

Gesine schreibt wenig über ihre Gefühle und Empfindungen, sie zieht die Beschreibung von Zuständen und Ereignissen der äußeren Realität vor. Es mag teilweise Scheu vor Indiskretion und Selbstentblößung sein. Wenn Gesines Kolleginnen Amanda und Naomi ihr versichern, sie brauche, wenn sie mit ihnen zusammenleben wolle, nichts über ihre Betterlebnisse mit D.E. zu berichten[3], so entspricht diese Zurückhaltung der Mentalität des Autors, der seinen Respekt gegenüber seinen Personen nachdrücklich betont[4]. Andererseits mögen

---

1) Die im folgenden referierte Theorie der Leerstellen stützt sich auf Wolfgang Iser: Die Appellstruktur der Texte, a.a.O.

2) Diesen Terminus verwendet Iser (a.a.O.) zur Beschreibung der Leserrolle in Texten, die durch Leerstellen geprägt sind.
3) S. 1256.
4) Vgl. Durzak, "Gespräche", a.a.O., S. 437f.

Zweifel an der Aussprechbarkeit tiefster seelischer Regungen
mit im Spiel sein. Deutlich wird dies bei Gesines Vermeidung
des Wortes "Liebe".[1] Furcht vor der terrible simplification
mag sie (und auch den Autor) daran hindern, in naiver Weise
seelische Regungen auf den Begriff zu bringen, als sei Vorbe-
wußtes, Halbbewußtes, Verdrängtes so einfach zu benennen.
Johnson hat es vermieden, einen psychologischen Roman zu
schreiben; er lotet weniger die Tiefen des Inneren aus, als
daß er die äußerlichen Reaktionen auf seelische Verletzungen
beschreibt. Gerade diese Aussparung des Inneren läßt erkennen, daß er auf kein "heiles" Ich im Sinne der vorfreudiani-
schen Psychologie rekurriert. Doch er beschreibt nicht die
Läsionen und Traumata seiner Protagonisten, sondern läßt lediglich aus dem Verhalten seiner Personen die Existenz solcher seelischen Verletzungen ahnen.
So spricht Gesine nur einmal - und dies auf Tonband, für später[2] - von dem Schmerz, den ihr Jakobs Verlust zugefügt hat.
Sie hat dieses Leid noch keinesfalls überwunden, daher vermeidet sie jede ernsthafte Bindung an einen anderen Menschen.
Die "Jahrestage" setzen die Lektüre der "Mutmaßungen" (und der
anderen Romane Johnsons) voraus; aber die Lücke zwischen den
"Mutmaßungen" und den "Jahrestagen", in die Gesines Trauer
um Jakoh fällt, bleibt eine der großen Leerstellen des John-
sonschen Oeuvres.[3] - Jeder Versuch, die Tiefe des Schmerzes auszuloten, hätte ihn verflacht, und damit verfälscht.
Allein das Schweigen ist der Tiefe des Schmerzes angemessen.
Die Phantasie des Lesers mag ihn - im Bewußtsein ihrer Unzu-
länglichkeit - auszumalen suchen, und das Gefühl der eigenen
Inkompetenz gegenüber dieser Empfindung wird dem Leser erst

----

1) Regelmäßig im Umgang mit D.E., so z.B. S. 815 ("das Wort,
   das du nicht hören willst", umschreibt Erichson den Ausdruck "Liebe").
2) S. 388.
3) "Und sie sah nicht aus wie eine, die geweint hat; das wollen wir doch mal sagen", lautet (auf Gesine bezogen) der
   letzte Satz der "Mutmaßungen" (a.a.O., S. 202).

den Eindruck eines alle Grenzen des Sagbaren überschreitenden
Gefühls vermitteln.

Die Rezeptionsforschung hat darauf hingewiesen, daß es die
erwähnten "Leerstellen" zwischen den einzelnen Textabschnit-
ten sind, die dem Leser einen Freiraum für seine Imagination
gewähren.[1] Johnsons Text, in Segmente der verschiedensten Art
zerteilt, macht von dieser Möglichkeit vielfältigen Gebrauch.
Indem er durch die Tagebuchform die erzählerische Kontinuität
permanent unterbricht und den Handlungsablauf in eine Vielzahl von thematisch gegliederten Episoden unterteilt; indem
er durch das Gegeneinander der beiden Erzählebenen unzählige
nicht ausdrücklich ausformulierte Beziehungen herstellt und
indem er schließlich durch die Einschaltung der "zweiten
Ebene", der "Stimmen"[2], eine Kontrapunktik zur Erzählerin
Gesine herstellt, deren genauere Konkretisierung gleichfalls
dem Leser überlassen bleibt, sind der "Innovationsfähigkeit"[3]
des Lesers manigfaltige Aufgaben gestellt, die im folgenden
näher erläutert werden sollen.[4]

----
1) Iser, a.a.O., S. 235.
2) Vgl. dazu auch das Kapitel "Dramatik".
3) Iser, a.a.O.
4) Bisweilen benutzt der Autor bewußt die Methode der erzähl-
   technischen Leerstelle, um den Leser aufs Glatteis zu führen. So im Zusammenhang mit der stets unsichtbar bleiben-
   den Frau des Vizepräsidenten de Rosny. Der Leser erfährt,
   daß eine "scheußliche Geschichte" (S. 1053) mit ihr passiert
   war. Die näheren Umstände bleiben bewußt ausgespart. "Ihre
   Geschichte wurde erst nach vier Jahren bekannt, und so unge-
   nau, als Gerücht, daß es zum Erzählen schlicht nicht taug-
   te", berichtet Gesine darüber. Mag der Leser rätseln, was
   dieser Frau widerfahren sein mag, die wenn Besuch kommt,
   nur mit "schwerem Schritt" (S. 462) durch ihre Räume irrt.
   Wie sehr er sich auch bemüht, immer wird er gegen die vom
   Autor gesetzten Schranken anrennen.
   Als weiteres Beispiel eines für den Leser verwirrenden
   "Puzzlespiels" soll Cresspahls Verhaftung erwähnt werden.
   Cresspahl und Pontij hatten miteinander eine ganze Nacht
   lang getrunken (S.1209). Dabei erzählte Pontij seufzend (er
   pflegt immer zu seufzen), daß sein Sohn im April 1945 in
   Deutschland gefallen sei. In diesem Zusammenhang fallen die
   beiden Worte, die Cresspahl nie wieder aus seinem Gedächtnis
   verlieren wird: "Nje daleko" - nicht weit entfernt von Jerichow (ebd.).
   Wochen zuvor war auf dem Marktplatz von Jerichow , unter

b) Keine Totalität

Wichtigstes Mittel, die Imagination des Lesers zu wecken,
ist die Zertrümmerung jener "extensiven Totalität" (Lukács),
die den Roman des 19. Jahrhunderts konstituierte. Als eines
der wichtigsten Mittel zu diesem Zweck dient die Tagebuchfom.
Sie ist dem Roman keineswegs nur äußerlich aufgesetzt; statt
des kontinuierlichen Berichts eröffnet sie die Möglichkeit
immer neuen Beginnens. Gesine erzählt von der Vergangenheit
und von ihrem gegenwärtigen Alltagsleben; dies alles vollzieht sich punktuell, so eng auch die Themen untereinander
verknüpft sein mögen. Mit jedem neuen Tag kann die Erzählerin
Gesine einen neuen Problemkreis aufgreifen, ohne daß sie ge-
nötigt wäre, den Wechsel zu rechtfertigen. Daß diese Diskontinuität den Leser zu erhöhter Aufmerksamkeit zwingt, liegt
auf der Hand. Statt des fortlaufenden Berichts entstehen
kunstreiche thematische Muster: Fäden werden aufgegriffen,
weitergesponnen, fallengelassen; doch der Leser muß gegen-
wärtig sein, daß sie irgendwann einmal wieder auftauchen. Ein
Problem, das bis zu einem bestimmten Punkt gediehen ist, kann
für eine Weile "suspendiert" werden, und wenn es wieder auftaucht, hat sich die Situation schon entscheidend verändert.
Wie ein bunter, aus vielfältigen Mustern gewobener Teppich
erscheint der Roman; die Handlungsstränge laufen - verschlun-
gen oder getrennt - nebeneinander her. Dem Leser obliegt es,
sie zu verbinden, die Parallelen und Kontraste nachzuvoll-
ziehen und das Ausgesparte zu ergänzen.

noch Fußnote 4) v. S. 143
    einem pompösen, eigens für diesen Zweck errichteten Helden-
    denkmal, ein junger Russe beigesetzt worden. Ob dieser jun-
    ge Soldat tatsächlich Pontijs Sohn war (das Datum spricht
    dagegen), oder ob er nur stellvertretend für jenen ein Eh-
    renbegräbnis erhielt, läßt sich dem Text nicht eindeutig
    entnehmen. Auf der Hand liegt jedoch, daß zwischen beiden
    Texten ein Zusammenhang besteht: Pontij läßt "seinen" Bür-
    germeister verschwinden, weil dieser über die "private" Be-
    deutung des Ehrenmals Bescheid weiß.

c) Die beiden Ebenen

Auch die Diskrepanz der beiden Erzählebenen erscheint geeignet, der Herausbildung einer "extensiven Totalität" im Sinne
eines in sich ruhenden Ganzen entgegenzuwirken, da die beiden "Sphären", die mecklenburgische und die amerikanische,
einander nicht nur relativieren, sondern auch gegenseitig
beeinflussen: Ereignisse auf der einen Ebene werfen ihre
Schatten auf die andere; sich überkreuzende Einwirkungen
(Interferenzen[1)]) finden sich des öfteren.

Der Übergang von der einen zur anderen Ebene vollzieht sich zumeist fast beiläufig; von ihrer (feierabendlichen) Zeitungslektüre gleitet Gesine hinüber in die Vergangenheit, wobei
ihr ein Stichwort aus der Zeitung bisweilen eine assoziative
Brücke bietet.
So wenn Gesine[2)] angesichts einer Zeitungsmeldung, daß die USA
Billionen Dollar einsetzen müßten, wenn sie die Armut im Land
beseitigen wollten, verwundert registriert, daß ihre Tochter
Marie "gar nicht ängstlich" sei, in einem solchen Land zu leben. Das Stichwort "ängstlich" gibt dann Gesine Gelegenheit
zum Hinübergleiten in die Vergangenheit: "Lisbeth   war ängstlich in England"[3)]. Der inhaltliche Bezug wird sogleich hergestellt: die hohe Arbeitslosigkeit in England im Jahre 1932.
Lisbeth fürchtet sich vor der Not des fremden Landes, Marie
akzeptiert die Probleme des eigenen.
Cresspahls Kämpfe mit der sowjetischen Besatzungsmacht um die
Ernährung der Stadt Jerichow stehen in unterschwelliger Beziehung zu dem sowjetisch-tschechischem Feilschen um Weizen und
Devisen im Jahre 1968, an dem Gesine aus beruflichen wie persönlichen Gründen interessiert ist. Es sind die Nachfolger

----

1) Iser, a.a.O., S. 245.
2) S. 141.
3) Ebd.

derselben Russen, die ihren Vater schuldlos inhaftierten und
die jetzt den Demokratisierungsprozeß in der CSSR zu restrin-
gieren drohen.[1]
Auch zum "Zurückgleiten" aus der Vergangenheit in die Gegenwart kann ein solches Stichwort dienen:

"Wetten? sagt das Kind: wetten, daß es kracht? Wetten?"[2]

Die Rede war zuvor von der latenten Spannung zwischen Cresspahl und Lisbeth in England, und der Leser bezieht Maries
Äußerung unwillkürlich auf diesen Sachverhalt. Marie meint
jedoch die South Ferry, auf der sie augenblicklich unterwegs
ist und die von einem ungeschickten Kapitän wahrscheinlich bald
gegen die Pfähle der Hafeneinfahrt gesteuert werden wird. Dennoch bleibt auch der vom Leser ursprünglich hergestellte Bezug gültig: Auch zwischen Cresspahl und Lisbeth wird es zur
Kollision kommen.
Indirekt wird der Bezug zwischen den beiden Ebenen angesprochen, wenn Gesine unter dem Datum des 27. Dezember Reflexionen zum Thema "kinderglut" anstellt.[3] Der amerikanische Feier-
tag (ein Festtag speziell für Kinder) trägt diesen Namen, aber
das Wort veranlaßt Gesine, die deutsche Bedeutung des Terminus
mitzudenken. In skizzenhafter, bewußt subjektiv gehaltener
Form, die einer Tagebucheintragung entspricht, bringt sie ihre
scheinbar zusammenhanglosen Überlegungen zu Papier, die jedoch um ein geheimes, niemals direkt angesprochenes Zentrum
kreisen: die Kombination von "Kinder" und "Glut" ruft ihr die
Tötung und Verstümmelung vietnamesischer Kinder durch Napalm
ins Bewußtsein. Aber sogleich wehrt sie den Gedanken wieder
ab:

"Als ob ich Fieber hätte. Will etwas nicht wissen."[4]

Ausgerechnet an diesem Tage interviewt die New York Times den

---

1) S. 1057 f.
2) S. 131.
3) S. 519ff.
4) Ebd.

Erfinder des Napalms, der zu Protokoll gibt, er habe das
Napalm ursprünglich als Waffe im Kampf gegen den Faschismus
entwickelt. Vor den moralischen Implikationen seiner Erfindung drückt er sich.

Was dann als jäher Gedankensprung der reflektierenden Gesine
erscheint, erweist sich bei näherem Zusehen als weiteres Moment des Napalm-Komplexes: die stets geöffneten Türen zur
Hintertreppe, die aus Gründen der Brandgefahr eigentlich geschlossen sein sollten[1], weisen vorweg auf die Ereignisse der
Vergangenheitsebene: auf Lisbeths Selbstmord. Lisbeth hat
sich wegen eines ermordeten Judenkindes das Leben genommen
– wie kann Gesine weiterleben, belastet mit der (indirekten)
Mitschuld am Tod vieler Tausender vietnamesischer Kinder?
Zwischen beiden Ebenen bildet sich eine Interferenz, deren
Konkretisierung wiederum dem Leser überlassen bleibt.

In ihren Reflexionen zum Tag "Kinderglut" beschreibt Gesine
die Flucht vor den bedrängenden Assoziationen, die sie dann
immer wieder einholen. Nicht der Schrecken des Krieges, das
Leiden und Sterben der Kinder wird dargestellt, sondern der
vergebliche Versuch einer Verdrängung, der die Leerstelle
"kinderglut" für den Leser mit unausweichlicher Realität erfüllt.

Als weiteres Beispiel einer – recht unauffälligen – Verklammerung beider Ebenen wäre der Name Susemiehl zu nennen. Nachdem
kurz zuvor Gesine begonnen hatte, von dem treuherzigen Jungen
zu erzählen, der wegen seiner Mitgliedschaft in der SPD von
den Nazis mißhandelt worden war und bei Cresspahl in London
Zuflucht gesucht hatte[2], erhält sie (als Antwort auf eine
Anfrage) einen impertinenten Brief vom Rat des Kreises Gneez,
der neben anderen Unterschriften auch die Susemiehls trägt.[3]
Aus dem anhänglichen Jungen ist ein überzeugter SED-Funktionär

----

1) S. 520.
2) S. 376.
3) S. 385.

geworden, und der Leser muß sich fragen, ob Susemiehls Entwicklung nicht eine andere Richtung genommen hätte, wenn er damals von Cresspahl nicht im Streit weggeschickt worden wäre.[1]
Sinnfälligstes Mittel der Verklammerung beider Ebenen sind
jedoch die "Stimmen", mit denen Gesine fiktive Gespräche
führt. Neben der inhaltlichen Funktion, daß dieselben moralischen Prinzipien auf allen Ebenen Geltung haben sollen, spielt
auch eine Rolle, daß die epische Distanz zum Vergangenen aufgehoben wird zugunsten der Gegenwärtigkeit des Geschehens.
Unter dem Gesichtspunkt der erwähnten Schuldfrage ist die Vergangenheit nicht abgetan, sondern wirkt in die Gegenwart hinein.

d) Schnitte
‗‗‗‗‗‗‗‗

Risse und Sprünge im Erzählgefüge werden nicht verkleistert,
sondern durch "harte Fügung" eher noch stärker akzentuiert.
Nicht nur inhaltlich Divergierendes, sondern auch formal In-
kongruentes wird auf diese Weise zusammengefügt; durch die
Dissonanz erfährt der Leser von einer Welt, die durch keine
vorgetäuschte Harmonie vernebelt wird.
Als Beispiel sei die "Wiewerbarg"-Episode analysiert[2]. Der
von den Sowjets in Gefangenschaft gehaltene Cresspahl wird
wieder einmal "auf die Reise" geschickt. Der wunderlich gewordene, zerlumpte Kerl flösst seinen Kameraden Mitleid ein,
sie spendieren ihm eine Zigarette. Vom ungewohnten Genuß um-
nebelt, verliert der gänzlich entkräftete Häftling Cresspahl
die Kontrolle über sich selbst und gerät ins Wachträumen. Er
glaubt, während er von einem Lager ins andere marschiert, verschiedene Orte Mecklenburgs wiederzuerkennen, die in seinem
Leben eine Rolle gespielt haben. In Waren, wo er seine

---

1) S. 390.
2) S. 1285ff.

Kinderzeit verlebte, verliert er endgültig das Bewußtsein und
findet es erst nach Wochen wieder[1], und zwar - seiner Meinung nach - in einem räumlich weit entfernten Lager; wie er
in seinem bewußtlosen Zustand dorthin gekommen sein soll, kann
er sich nicht erklären, zumal ihm bekannt ist, daß kranke
Häftlinge auf dem Marsch ohne weiteres erschossen werden. Mit
jähem Schnitt trennt der Autor die Halluzinationen Cresspahls,
die sich für ihn mit dem Ort Waren verbinden, von der brutalen Realität des Lagers "Fünfeichen". Cresspahl hatte wach-
träumend noch einmal die Geschichte seiner Liebe zu Gesine
Redebrecht erlebt[2], dann die Zeit des Warener Soldatenrats
1920, dem er selbst angehörte und der von reaktionären Guts-
besitzern beschossen wurde.[3] Dann war er abgeglitten in Kind-
heitserinnerungen, in die Sage von den Zwergen im "Wieverbarg",
die so schöne Musik machten.[4] Der Leser hat, analog zu Cresspahl selbst, große Schwierigkeiten, den Sprung von der Märchen-
welt in die Wirklichkeit des sowjetischen Straflagers zu voll-
ziehen. Johnson vertieft die Kluft noch, indem er eine Paro-
die auf Thomas Manns "Tristan" einschaltet, die die unbeschreib-
liche Brutalität des Lagerlebens ironisch verfremdet.[5] Cresspahl findet sich nicht zurecht, er hält sich "allen Ernstes"
für verrückt, und der Autor demonstriert dem Leser die Irrita-
tion seines Protagonisten durch diesen jähen und unerklär-
lichen Übergang.
Als weiteres Beispiel diskontinuierlichen Erzählens seien die
ersten Novembertage 1938 angeführt:
Während der Gang der Handlung sich auf einen Höhepunkt zube-
wegt (Lisbeth hat Friedrich Jansen öffentlich ins Gesicht geschlagen), hält die Erzählerin nochmals inne und berichtet von
Cresspahls Reise nach Wendisch Burg.[6] Unterwegs besucht er

----

1) S. 1287f.
2) S. 1286.
3) S. 1287.
4) Ebd.
5) "Hier liegt Fünfeichen, das Sanatorium.[...] Nach wie vor
   leitet die Rote Armee die Anstalt[...](S. 1287f).
6) S. 725ff.

die Gräber seiner Eltern[1]; er trifft zufällig seine Jugend-
liebe wieder[2], sein junger Schwager Niebuhr erinnert ihn an
den Lehrling Perceval, den er in England zurückließ[3], und
die glückliche Ehe zwischen den beiden Niebuhrs bringt ihm
die Anfangsjahre seiner eigenen Ehe mit Lisbeth wieder ins
Bewußtsein[4]. Verschüttete, verlorengegangene Möglichkeiten
tauchen noch einmal assoziativ auf – dem Leser wird nahege-
legt, daß hier die Summe von Cresspahls bisherigem Leben gezogen wird. Was hat Cresspahl gewonnen, wie lebt er heute im
Vergleich zur Vergangenheit? Während Cresspahl diese Bilanz
zieht, die nicht unbedingt positiv für ihn ausfällt, geht
Lisbeths Leben ihrem Ende entgegen, und Cresspahl verliert
auch noch sie, um derentwillen er so viele hoffnungsvolle Möglichkeiten aufgegeben hat. Damit wird sein letzter Entwurf
eines Lebens vernichtet; jetzt ist er entgültig allein.

Weitere Möglichkeiten der Diskontinuität bietet die Einschal-
tung der zweiten Ebene, der fiktiven Dialoge. Ein extremes
Beispiel stellt Cresspahls Heiratsantrag an Lisbeth dar, der
kombiniert wird mit Gesines Lektüre eines Times-Artikels über
das Leben und den Selbstmord der KZ-Kommandeuse Ilse Koch[5].
Gesine versucht sich die Szenerie der Werbung auszumalen, das
Wetter, die Gegend, die Situation des Spaziergangs. Aber die
Erzählung gleitet immer wieder in die zweite Ebene, die fiktive Vergegenwärtigung des Dialogs von damals, wobei aber nur
Dialogfetzen formuliert werden. Zwischendurch versucht Gesine die Zeitung zu lesen, was ihr aber offensichtlich nicht
gelingen will, weil ihre Phantasie durch das ersonnene Gespräch
des Liebespaares okkupiert wird.
Unangenehm, fast peinlich mag den Leser die Kombination dieser
beiden "Texte", des Liebesgesprächs und des Zeitungsartikels
über Ilse Koch, berühren. Auf der einen Seite unerhörte Brutalität und Perversion, auf der anderen ein behutsames, vor

1) S. 726.
2) S. ebd.
3) S. 729.
4) Ebd.
5) S. 48ff.

direkten Gefühlsäußerungen zurückschreckendes erstes Gespräch
zwischen den beiden Personen, die Gesines Eltern werden sollen.
Warum diese scheinbar willkürliche Verknüpfung?
Vom Gespräch des Liebespaares werden nur einige Kernpunkte referiert, die bereits auf die neuralgischen Punkte dieser Verbindung aufmerksam machen: die Papenbrockschen Familienverhält-
nisse, die Nazis; am Schluß die Frage, ob Cresspahl sich Kinder wünsche. Dem Leser bleibt jedoch wenig Raum, die ausgesparten Gefühle der beiden von sich aus zu ergänzen, da der
Lebenslauf der KZ-Kommandeuse seine Aufmerksamkeit in Anspruch
nimmt. Er soll erkennen, in welche Welt die Verbindung von
Lisbeth Papenbrock und Heinrich Cresspahl führt: Es ist die
des Faschismus, an dem Lisbeth zugrunde gehen wird.

6) Komik

Der Schriftsteller Uwe Johnson, der vor dem Jewish American
Congress über die Wahlerfolge der NPD ein Referat halten will,
erfährt aus dem Mund seiner Zuhörer, ehemaliger KZ-Opfer, was
sie durchlitten haben:

"Und sie sagten: Meine Mutter. Theresienstadt. Meine ganze
Familie. Treblinka. Meine Kinder. Birkenau. Mein Leben. Ausch-
witz. Meine Schwester. Bergen-Belsen. Mit siebenundneunzig
Jahren. Mauthausen. Im Alter von zwei, vier und fünf Jahren.
Maidanek. 1)

Die verstümmelten Sätze, reduziert zur bloßen Aufzählung von
Verwandtschaftsgraden und Altersangaben und zu den Namen der
jeweiligen Vernichtungsstätten, manifestieren, wie das individuelle Leid in der allgemeinen, nur noch statistisch erfaßba-
ren Vernichtung aufgeht; sie demonstrieren zugleich die um
nichts geminderte Erschütterung der Betroffenen angesichts der
unfaßbaren Bestialität. Der Schriftsteller Johnson, der sich
hier in eigener Person und mit einer realen Begebenheit in den
Roman eingebracht hat, erkennt zu spät, daß sein Versuch, die
derzeitige westdeutsche Politik (unter einem Bundespräsidenten Lübke und einem Bundeskanzler Kiesinger) zu erläutern,
ein absolut sinnloses und törichtes Unterfangen ist:

"Er hatte noch nicht begriffen, daß Zeit und Adresse ihm die
Schuldlosigkeit des Fremdenführers aus den Händen genommen
hatten und ihm jedes analytische Wort im Munde umdrehten zu
einem defensiven." 2)

Erst, nachdem die Opfer ihren "Diskussionsbeitrag" geleistet
haben, begreift Johnson und tut, was er von Anfang an hätte
tun sollen: Er schweigt. Als seine Gastgeber ihn noch zum
Essen einladen wollen, verabschiedet er sich hastig, und die
in der Nähe stehende Gesine erkennt, "daß er gerade eine
waschechte, lichtechte, luftdichte Lüge von sich gab," 3) um
möglichst rasch zu entkommen.

----
1) S. 256.
2) S. 255.
3) S. 257.

Mit dieser humorigen Wendung kehrt Gesine, die gemeinsam mit
Johnson diese Episode erzählt , in die Tonlage des Anfangs
zurück. Eingeleitet worden war dieser Bericht mit der Beschreibung einer Reihe von drastischen Begleitumständen: Die jüdischen Gastgeber reißen pointiert anti-deutsche Witze. Dann
fällt das Mikrophon aus, was zu entsprechenden Reaktionen
des Publikums führt.[1] Der Leser, der zunächst amüsiert diesem Geplänkel gefolgt war, begreift - genau wie Johnson -
erst als die zitierten "Diskussionsbeiträge" aus dem Publikum
erfolgen, das Inkompatible der Situation.
Er erlebt, wie der naive Schriftsteller "im Strom der Welt
gebildet" wird.[2] Der - bei allem politischen Interesse - welt-
fremde Poet erfährt auf die krasseste Weise, was Leben (und
Sterben) heißt; er lernt die außerliterarische Realität von
ihrer furchtbarsten Seite kennen. (Die ironische Paraphrase
des Tasso-Zitats decouvriert gleichzeitig die Arglosigkeit
Goethes, der schwerlich ahnen konnte, welche Erfahrungen auf
den Poeten unseres Jahrhunderts warteten.)
Nach dem nackten Grauen dann wieder die Komik: Wie sich der
nun wissend gewordene Johnson mit einer "fast echten" Lüge
aus seiner Situation herausmanövriert. Auf diese Weise wird
das Furchtbare eingebettet in einen eher amüsant anmutenden
Zusammenhang; eine gewisse "Fallhöhe" wird erzielt, die den
Passagen des Schreckens ihre Eindringlichkeit verleiht. Erst
durch den Wechsel der Tonlage erreicht die Wirkung ihren
höchsten Grad.
Die Komik am Anfang und Ende bleibt streng funktional; sie ist
keinesfalls "humorvoll"-versöhnlerisch auf einen Kompromiß
mit der schlechten Realität bedacht. Sie beschreibt am Anfang
lediglich die Diskrepanz zwischen dem seine Situation falsch
einschätzenden Schriftsteller Johnson und der von ihm noch
nicht erkannten Realität, während am Schluß der unmögliche,

----

1) S. 253ff.
2) S. 256.

eo ipso zum Scheitern verurteilte Versuch einer "Anpassung"
des klug Gewordenen dargestellt wird. Das Lachen geht auf
Kosten Johnsons, der sich unvorsichtig in eine solche Lage begeben hat und nun versuchen muß, sich am eigenen Schopf aus
dem Sumpf zu ziehen.

Einen ähnlichen Stellenwert hat die Komik, wo immer sie sonst
im Roman auftaucht. Sie bildet ein Widerlager gegen die zumeist thematisierte Misere. Um so glaubhafter wirken Ent-
setzen, Trauer oder Empörung, wenn sie eingeleitet oder un-
terbrochen werden durch eine manchmal ironisch-distanzierte,
durch ihre Komik erheitende Tonlage.
Als weiteres Beispiel seien die "Erlebnisse" des Barons von
Rammin[1] angeführt: Im Frühjahr 1933 war zum Boykott jüdischer Geschäfte aufgerufen worden; nun bewachten SA-Leute
die Praxis des jüdischen Tierarztes Dr. Semig. Aus höchst persönlichen Gründen ist Rammin an diesem Tage schlecht zu sprechen auf die österreich_ ische Nation; nun ärgert er sich obendrein, als er den Tierarzt konsultieren möchte, über das un-
botmäßige Betragen der Landsknechte "jenes Österreichers". In
einem eher komisch anmutenden Zornesausbruch treibt er die
Pferde an und kollidiert mit Ossi Rahn, dem Anführer der
SA; der Rest ist - aus der beschränkten Perspektive des zor-
nigen Rammin - ein gewaltiges Durcheinander; mitten drin Oma
Klug mit ihrer Katze, die vor Schreck entläuft.
Jerichow hält, wie es scheint, fest zu seinem Tierarzt; noch
einmal siegen die Repräsentanten der alten Ordnung: Auf
Betreiben Rammins wird Ossi Rahn wegen diverser Delikte ange-
klagt und verurteilt. Der Rechtsanwalt Avenarius Kollmorgen
hält noch einmal ein großes Plädoyer.

"Oberes und unteres Bürgertum atmeten auf, weil der Gerichts-
beschluß versprach, daß die SA eben doch nicht alles sich
herausnehmen durfte." [2]

----
1) S. 356ff.
2) S. 361.

Aber: "Es war nicht alles herausgekommen von Ossi Rahns Taten.
So wurde nicht jene Gefälligkeit bekannt, die Ossi einem hoch-
gestellten Führer der S.A. in Schwerin geleistet hatte. 1)

Ossi muß seine Strafe nicht im Gefängnis verbüßen, sondern
kommt in ein KZ, wo er alsbald zum Aufseher avanciert; als
"Ossi Menschenfreund" erwirbt er sich eine furchtbare Reputa-
tion. Fleischer Methfessel wird von ihm gequält, bis er den
Verstand verliert. Was anfangs als erheitendes Geplänkel, später als Triumpf des Guten über das Böse erschien, entpuppt
sich schließlich als totaler Sieg der faschistischen Barbarei.
Die letzte Wendung, Ossis Karriere, kommt höchst überraschend
für den Leser, der bereits, herkömmlichen Erzählschemata ver-
trauend, das happy end in sicherer Nähe geglaubt hatte.

Weitere Beispiele für die Funktion der Komik lassen sich in be-
liebiger Anzahl nennen: So wenn Cresspahl von seinen Kollegen
in der Tischlerinnung in Gneez in den Umgang mit den neuen
Machthabern eingewiesen wird[2] (am Ende steht die Mitarbeit
am Flugplatz Mariengabe); wenn die Rote Armee in Gestalt des
Soldaten "Wassergahn" von Bergie Quade abgewimmelt wird[3] (was
den Eindruck erwecken muß, es sei alles halb so schlimm mit
den Sowjets –aber am Schluß wird Cresspahl aus reiner Willkür
verhaftet): Immer bieten die erheiternden Passagen die notwendige Fallhöhe, die es dem Leser erst ermöglicht, die Tiefe
des Sturzes voll zu begreifen.
Nur einmal ist die Funktion der Komik eine positive; doch
auch die hier beschriebene Situation, die Errettung der Stadt
Wendisch Burg durch Martin Niebuhr, handelt von – gerade noch
mühsam abgewehrter – Vernichtung.[4] Hervorgerufen wird die
Komik durch die Gestalt des vertrottelt wirkenden Schleusen-
wärters, der auf das Ansinnen, die ihm unterstellte Havelschleuse zu sprengen, so reagiert, wie es einem Beamten gemäß ist: Ihn stört das Ordnungswidrige des geplanten Vorha-
bens. Welche Katastrophe es für die betrofenen Menschen bedeuten würde, muß ihm erst seine Frau klarmachen. Auch der

---

1) S. 362.
2) S. 448.

unvermeidlich gewordene Mißbrauch eines amtlichen Telefons
zu so einer "privaten" Angelegenheit wie Landesverrat wi-
derstrebt seinem strengen Pflichtgefühl, und nur mühsam kann
er sich dazu durchringen.

Es meldet sich die nächste Schleuse, wo ein Kollege von
ähnlicher "Beschränktheit" amtiert, der dann den Kontakt
mit den anrückenden Sowjets vermittelt. Eine Kognak-Flasche
und ein sowjetischer Offizier, der besser hochdeutsch spricht
als der immer wieder ins Platt verfallende Schleusenwärter
Niebuhr komplettieren die burleske Szenerie. So entgeht die
Stadt um Haaresbreite der Zerstörung.

----

noch Fußnoten von S. 155
3) S. 1033f.
4) S. 975ff. (vgl. auch das Kapitel "Positive Helden").

Sprache:

Johnsons Sprache ist gekennzeichnet durch die Tendenz zur
äußersten Exaktheit, zur möglichst genauen Kennzeichnung des
beschriebenen Sachverhalts oder Gegenstands. Die Suche nach der
"Wahrheit", die den Inhalt des Werks ausmacht, zeigt sich
sprachlich im Versuch einer unendlichen Annäherung an das
Objekt. Wortwahl und Syntax stehen im Dienst dieses Bestre-
bens.
Eine wichtige Rolle bei der Wortwahl spielen Adjektive; ihre
Häufung und Kombination drückt das Bemühen aus, den Gegenstand möglichst exakt zu erfassen:
"Mrs. Ferwalter ist eine kleine, zu beleibte Person, die Mutter von Rebecca, eine stämmige Person, die gern Hängekleider
in roten Farben trägt. Ihre Backenknochen stehen breit, die
Stirn ist schmal über fast schwarzen Augen und Brauen, und
der Schwung, in dem ihr Kopf zu einem engen Untergesicht ver-
engt ist, erinnert an ihr Mädchengesicht. Jetzt ist es zuge-
packt mit Alter, festgehalten in einem starren Ausdruck von
Abscheu, den sie nicht ahnt." 1)

Der Leser, der noch über die Kennzeichnung "zu beleibt" hin-
weggelesen haben mochte, wird gewarnt durch den "starren Ausdruck von Abscheu"; wie es mit der ruthenischen Jüdin bestellt ist, begreift er, wenn er wenig später von der eintä-
towierten Nummer auf ihrem Unterarm liest.
Als Mittel zum genaueren Erfassen ist weiterhin die sprach-
liche Ironie zu nennen: Während in Johnsons früheren Werke
ein bisweilen fast "trockener" Ton vorherrschte, sind die
"Jahrestage" gekennzeichnet durch ironisch-distanzierende,
bisweilen sarkastische Hervorhebungen, die erreicht werden,
indem man die Sprache beim Wort nimmt. So z.B. wenn Gesine
bei ihrer abendlichen Zeitungslektüre feststellt:
"In sechs Monaten sind die privaten Verbrechen um 17 % ange-
stiegen."2) Die Formulierung "private Verbrechen" verweist

----

1) S. 45.
2) S. 89.

den Leser auf die "öffentlichen", vom Staat (in Vietnam) ver-
übten.

Dem entspricht die kritische Umformung einer Meldung, daß in
der vergangenen Woche in Vietnam 2376 Menschen "beruflich am
Krieg gestorben" seien.[1] Die immense Zahl der Toten steht im
krassen Gegensatz zu der scheinbaren "Normalität" des Solda-
ten-Berufes . - Die Möglichkeit, die die Sprache bietet, wenn
man sie wörtlich nimmt, nutzt Gesine gleichfalls, wenn sie
Statistisches wiedergibt:
"In 22 Städten sind die Neger aufgestanden, vorläufig sind
86 ihrer Toten gezählt, und die Polizei in New York zählt mitt-
lerweile 32 365 Mann." 2)

Auffällig ist die Relation zwischen den Zahlen: Beide werden
"gezählt", doch es steht zu vermuten, daß angesichts der Zahl
der Polizisten die Zahl der toten Neger steigen wird, was dann
wieder zu einer Steigerung der Polizistenzahlen führen wird
usw.
Beim Satzbau überwiegt die Parataxe. Locker gefügt, vermeiden
die Sätze jede Subordination von Satzgliedern; der Satzbau
fügt sich vielmehr dem Schwergewicht der dominierenden Passagen,
die durch syntaktische Umstellung (Inversion, manchmal auch
Anakoluth) hervorgehoben werden:

"Daß ihm Einer in seine Ehe hätte reden wollen, es wäre ihm
vor Verblüffung Zuhören nicht eingefallen." 3)
"Ein Leben in der Ehe, von mir wird Marie es nicht lernen."[4]

"Gewiß, unsere Heimat in der Oberen Westseite von Manhattan,
sie ist eingebildet. [...] Und doch, nur eine Stunde Spazieren-
gehens durch das Viertel impft uns auf Jahre gegen einen Umzug.
Der Busfahrer, der heute mitten im Regen auf uns wartet, er
läßt sich wegwinken und hebt grüßend drei Finger gegen die zu-
klappenden Türflügel; gleich aufgehalten vom zupackenden Rot-
licht, blickt er uns dennoch ohne Mut hinterher, wie Nachbarn.
Er würde uns fehlen. Der städtische Mast an der Ecke des Riverside Drive und der 97. Straße, wir mögen ihn nicht entbehren.
[...]" 5)

----
1) S. 88.
2) S. 89.
3) S. 523.
4) S. 533.
5) S. 173.

Die bisweilen von den Regeln abweichende Zeichensetzung unterstreicht die syntaktische Hervorhebung exponierter Satzteile: "Wenn der Sozialismus belassen, oder eingeführt wird."[1]

Das "überflüssige" Komma erfüllt eine verfremdende Funktion. Es lenkt die Aufmerksamkeit des Lesers auf den existierenden Sozialismus der Ostblockstaaten und läßt erkennen, daß Gesine mitnichten offene Türen einrennt, wenn sie die Einführung eines wirklichen Sozialismus verlangt.

Wichtigstes Mittel der Akzentuierung eines Sachverhalts ist die - zumeist anaphorische - Repetition bestimmter Satzteile (oder ihr Ersatz durch Synonyme). Als Beispiel soll der kurze Überblick über die Geschichte von Jerichow herangezogen werden; die Erzählerin Gesine legt Wert darauf, die Bedeutung der Ritterschaft hervorzuheben.

"Der Ritterschaft war Jerichow so recht, als ein Kontor, ein Lagerplatz, ein Handelsort, eine Verladestelle für den Weizen und die Zuckerrüben. Die Ritterschaft brauchte keine Stadt. Jerichow bekam seine Bahnlinie nach Gneez, zur Hauptstrecke zwischen Hamburg und Stettin, weil die Ritterschaft das Transportmittel brauchte. Jerichow war zu arm, sich eine Kanalisation zu bauen; die Ritterschaft brauchte sie nicht. Es gab kein Kino in Jerichow; die Ritterschaft war nicht für die Erfindung. Jerichows Industrie, die Ziegelei, war ritterschaftlich. Ihnen gehörte die Bank, die meisten der Häuser, der Lübecker Hof.[...] In der Erntezeit, wenn der Weg nach Ratzeburg oder Schwerin zu weit war, fuhren die Herren abends zum Lübecker Hof und spielten Karten an ihrem eigenen Tisch, gewichtige, leutselige, dröhnende Männer, die sich in ihrem Plattdeutsch suhlten.[...]" [2]

Antithetisch, meist durch ein Semikolon getrennt, stehen die Bedürfnisse der Bevölkerung und das Veto der Ritterschaft einander gegenüber. Erst ganz am Schluß, nachdem die Macht der Ritterschaft ausführlich dargelegt worden ist, kommt sie selbst ins Bild: Der wenig schmeichelhafte unterschwellig angelegte Vergleich ("gewichtige Männer", die sich "suhlten") läßt die "wahre Natur" dieser noblen Herrschaften mit drastischer Deutlichkeit hervortreten.

----

1) S. 622.
2) S. 32.

In solchen Arrangements wird die reflektierende Subjektivität der Erzählerin Gesine deutlich. Sie ist es, die sich eindringlich um die Genauigkeit der Darstellung bemüht und versucht, komplexe Strukturen mit Hilfe äußerster sprachlicher
Exaktheit zu erfassen. Ihre Sprache umkreist den Gegenstand
und versucht ihn bald von dieser, bald von jener Seite zu beschreiben; es ist ein geduldiges Instistieren, das vor jedem vor-
schnellen Urteil zurückschreckt und statt dessen versucht, den
Gegenstand selbst mit Hilfe unzähliger Mosaiksteinchen so
wahrheitsgetreu wie möglich zu charakterisieren:

"Und alte Leute verhalten sich still auf den Inseln der Über-
wege im Broadway, treten behutsam voran in den rasch über-
schnittenen Gängen der Passanten, stehen am Rande eines Ge-
dränges um einen Hausierer, vertrinken Stunden an einer Tasse
Kaffe in Cafeterias, aufgegebene Leute. Ihnen ist nicht gelun-
gen, Besitz aus Europa vor den Nazis zu retten, sie sind nicht
hoch abgefunden worden, sie können nicht bürgerliche Vergangenheit verlängern in den polierten Wohnungen am Riverside Drive,
sie leben für sich. Aufgegeben von ihren Kindern, übrig geblieben aus langen Ehen, allein leben sie die letzten warmen Tage ab auf dem Broadway [...]" 1).

Die so Beschriebenen haben nicht teil an der auf das ökonomische reduzierten Art des Daseins, die im Umsatz ihr eigentliches
Lebenselement sieht. Sie sind "aufgegebene Leute", ohne Zukunft
und Hoffnung vegetieren sie dahin, und Gesine versucht diesen
desolaten Zustand durch variierende Repetition dem Leser eindringlich vor Augen zu führen: Nachdem das Stichwort "aufgegebene Leute" (als Apposition der "alten Leute", die das Subjekt des Satzes darstellen, durch eine von der normalen Syntax abweichende Position am Schluß des Satzes deutlich hervorgehoben) einmal genannt ist, kehrt es leitmotivisch teils
wörtlich, teils in Abwandlung wieder ("übrig geblieben" -
"allein"). Auch die anaphorische Reihung der Pronomina ("ihnen"
/"sie") akzentuiert den Gegenstand der Beschreibung und läßt
zugleich die Intensität spüren, mit der sich Gesine um ihr
Objekt bemüht.

----
1) S. 97f. (Hervorhebung von mir. J. G.)

In modifizierter Form wird die variierende Repetition dazu
verwendet, längere Passagen zu strukturieren oder den Zusammenhang zwischen weit auseinanderliegenden Abschnitten deutlich zu machen. Leitmotivisch durchzieht die Formel "Danach
können wir sie nicht fragen"[1] die Passagen, in denen von Mrs.
Ferwalter die Rede ist; immer wieder macht Gesine sich deutlich, daß keine Freundschaft zwischen ihr und der Mutter von
Maries Spielkameradin sein kann, weil die Vergangenheit als
unüberbrückbare Kluft sie trennt.

Entsprechend fungiert das Leitmotiv: "Davon konnte sie Cresspahl nichts schreiben";[2] wiederum ist es das Bewußtsein der
vorausschauenden, das Unheil ahnenden Erzählerin, das sich in
dieser stereotypen Formel manifestiert.

Noch komplexer wird die Struktur der variirenden Repetition,
wo es um Topoi wie den vom "versteckten Krieg"[3] geht, der inhaltlich den Zusammenhang der beiden Ebenen herstellt. Gleichfalls als Abbreviatur verwickelter Zusammenhänge dient die
höhnische Mahnung der Toten: "Gefällt dir das Land nicht?
Such dir ein anderes."[4] Auf de Rosny, die Symbolfigur des
Kapitalismus bezogen, erinnert es Gesine an ihre früheren
Länderwechsel: Sie hat dem Sozialismus den Rücken gekehrt,
aber auch mit dem Kapitalismus kommt sie nicht zurecht – wird
ein neuer Wechsel des politischen Systems ihr nützlich sein?

Ein weiteres Charakteristikum dieser um Exaktheit bemühten
Sprache ist ihre Tendenz zum Bildhaften, wo in konkreter Bild-
haftigkeit zugleich Allgemeines (gesellschaftliche, ökonomische oder politische Probleme) vermittelt werden.

Bereits die Eingangspassage bietet ein anschauliches Beispiel:
Beschrieben wird das Dorf an der Atlantikküste, in dem Gesine
ihre Ferien verbringt. Die exakte Darstellung der Strandvillen
läßt den Reichtum ihrer Bewohner ahnen, die zudem noch das

---

1) S. 46f.
2) S. 348.
3) S. 497f. (Vgl. dazu das Kapitel "Schuld").
4) S. 80 und S. 1007.

Vorrecht eines gebührenfreien Zugangs zum Strand genießen:

"Die dunkelhäutige Dienerschaft des Ortes füllt eine eigne
Kirche, aber Neger sollen hier nicht Häuser kaufen oder Wohnungen mieten oder liegen in dem weißen grobkörnigen Sand." 1)

Gesine spricht nicht ganz allgemein von der Rassendiskriminierung, die hier praktiziert wird, sondern entwirft ein Bild:
Die Schwarzen - es sind viele, und sie sind ausschließlich
Diener - verbindet nicht einmal die öffentliche Ausübung der
Religion mit ihren weißen "Herren". Der abstrakte Sachverhalt
"Rassendiskriminierung" setzt sich um in das Bild der schwarzen Dienerschaft in der Kirche, während es den Weißen vorbehalten bleibt, als besitzende Müßiggänger im Sande zu liegen,
dessen Beschaffenheit mit Hilfe des Satzbaus plastisch hervorgehoben wird. Die vermittelnde Funktion der Sprache zwischen
Allgemeinem und Besonderem bringt es mit sich, daß dem Leser
das Allgemeine auf diese Weise sinnenfälliger und faßbarer
erscheint; er begreift, was das allgemeine Prinzip bedeuten
kann. Umgekehrt wird das unmittelbar Vorhandene, in diesem
Fall das Dorf an der Küste New Jerseys, aus seiner Unmittel-
barkeit herausgerissen und in den allgemeinen Zusammenhang
der Rassendiskriminierung gestellt: Johnson macht sichtbar,
was hinter diesem wohlgefälligen Anblick steckt.
Noch deutlicher wird dieses Verfahren bei der ausführlichen
Beschreibung der Oberen Westseite von Manhattan: Hier läßt
Gesine durch die bloße Beschreibung politische, wirtschaft-
liche oder soziale Determination durchschimmern, ohne daß
die bisweilen an einen Essay erinnende Beschreibung zum soziologischen Exkurs vertrocknete:

"Unser Broadway beginnt an der 72. Straße, wo er auf die Amster-
dam Avenue trifft und ihr den Verdipark abschneidet. Hier teilt
ein geräumiger Mittelstreifen, an den Kreuzungen mit Querbän-
ken und gelegentlich mit Gebüsch besetzt, ihn in zwei breite
Fahrbahnen. Zu beiden Seiten der Straße sind Muster der Re-
naissance in elefantischen Baumassen aufgetürmt, und weit in
den Norden hinein zeugen die vielfenstrigen Kästen unter ihren
gefühlvollen Gesimsen von dem fiebrigen Vertrauen in den Bau-
markt, der um 1900 zu galoppieren anfing, als die U-Bahn unter
den Broadway gelegt wurde. Es sind Hotels, Lichtspieltheater,

----

1) S. 7.

Appartementhäuser einer Zeit, in der Gewinne angelegt wurden,
als Jugendstil oder italienisches Gerank um Knie und Stirn
der Häuser noch ihren Wert anzeigen sollte. Der Auftrieb hat
nicht gereicht für eine geschlossene Kolonne dieser dekorier-
ten Ungetüme, zwischen ihnen hocken ärmlich und vierstöckig
die zaghafter kalkulierten Miethäuser, die sich weniger Mühe
machten mit dem Verbergen ihrer Feuerleitern,nun stellt ihr
Alter sie bloß." 1)

In diesen exakt beschreibenden Passagen dominieren die Adjektive, wobei der Autor auch vor einem leichten Manirismus,
zumindest einem betonten Subjektivismus der Ausdrucksweise nicht
zurückschreckt ("Geräumiger Mittelstreifen", "elefantische Baumassen", "gefühlvolle Gesimse", "fiebriges Vertrauen"). Die
Architektur wird transparent gemacht auf zugrunde liegende
ökonomische Entwicklungen, zugleich aber auf die Mentalität
ihrer Erbauer: das "Gründerfieber" um 1900 manifestiert sich
in den ungeheueren Bauwerken, und die Häuser selbst werden
personifiziert durch die Attribute "Stirn" und "Knie". Die Architektur erscheint als Verdinglichung der ökonomischen Dynamik vergangener Zeiten; sie wird dem Leser nicht als Stati-
sches, sondern in ihrem historischen Gewordensein vor Augen
geführt.

----

1) S. 97.

Schlußbemerkung

"Seither (gemeint ist der 21. August 1968, I.G.) - und seit
dem Pariser Mai und dem im selben Sommer zu datierenden Ende
der deutschen Studentenbewegung im Karrierismus und Bürokra-
tismus - liegt Resignation wie ein Leichentuch über Europa."[1]
So der Rezensent der Wochenzeitschrift "DIE ZEIT", der im Jahre 1979 zu begründen versucht, warum Johnsons Roman, den er
in die "100 Bücher der Weltliteratur" einreicht, bisher Fragment geblieben ist. In dieser fatalen Konsequenz des Som-
mers 1968 sieht er eine der möglichen Ursachen für die Unabge-
schlossenheit der "Jahrestage".
Gesines politische Hoffnung, die möglicherweise auch die ihres
Autors war, ist brutal zerschlagen worden; die Reaktion hat
in Ost und West das verlorene Terrain wiedererobert. Hatte Gesine den Prager Frühling als letzte Chance betrachtet, sich
"wahr" zu machen, so mußte für sie die politische Katastrophe
zur persönlichen geworden sein. "Am letzten Tag des Buches,
am 20. August, weiß die Erzählung keinen festen Wohnsitz von
Gesine Cresspahl mehr", heißt es in einer (allerdings verfrüh-
ten) Voranzeige des Suhrkamp Verlages für den abschließenden
Band der "Jahrestage".[2]
Gesines Ende, ihre vollkommene moralische (oder gar physische)
Vernichtung? Doch Johnsons Gestalten führen ein beharrliches
Dasein, und gerade die "Jahrestage" sind es, die sich durch
ihren Charakter als "Integrationswerk" auszeichnen. Hier wird
die literarische Existenz der meisten Personen in Johnsons
Werken nicht nur "fortgeschrieben", sondern weiterentwickelt,
was zur Konsequenz hat, daß - bei aller Eigenständigkeit
der "Jahrestage" - die früheren Bücher in ihnen "aufgehoben"
sind.

----
1) Rolf Michaelis: Uwe Johnson, Jahrestage (Rezension in der
   Serie "100 Bücher"). In:"Die Zeit" v. 1.6.1979).
2) Uwe Johnson: Jahrestage 3. (Voranzeige des Suhrkamp Verlages, o.O., o.J.).

Auch mit dieser tendenziellen Offenheit des Werks mag es zu-
sammenhängen, daß der Autor bisher keinen Schlußstrich unter
das Werk ziehen konnte.
Wollte er heute das Werk zu Ende führen, müßte er die seither
eingetretene politisch-gesellschaftliche Veränderung registrieren. Der Leser von heute liest seine vergeblichen Hoffnungen
von damals mit; diesem Sachverhalt müßte eine "Fortsetzung"
der "Jahrestage" Rechnung tragen. (Einer ähnlichen "Brechung"
unterzog H.M. Enzensberger seine 1968 konzipierte, aber erst
zehn Jahre später veröffentlichte Komödie "Der Untergang der
Titanic".) Das Buch heute zu Ende zu schreiben hieße: zu beschreiben, wie sich die Hoffnungen von damals deformierten und
in ihr Gegenteil verkehrten, wie das Zurückgeworfenwerden die
Positionen veränderte, wie selbst das Scheitern mißlang und
die Gescheiterten kafkaes ihren eigenen Untergang überlebten.

- 165 -

Literaturverzeichnis
=====================

A. Primärliteratur

Johnson, Uwe: Jahrestage. Aus dem Leben von Gesine Cresspahl.
           Bd.1-3. Frankfurt/M. 1970 ff.

Ders. Mutmaßungen über Jakob. Roman. Frankfurt/M. 1962.

Ders.: Eine Abiturklasse. In: Aus aufgegebenen Werken. Son-
           derband der Bibliothek Suhrkamp. Frankfurt/M. 1968.

Ders.: Als Gesine Cresspahl ein Waisenkind war. In: Merkur,
           H. 10, 28. Jg., Okt. 1974.

Brecht, Bertolt: Gesammelte Werke, Bd. 18, Frankfurt 1966.

B. Sekundärliteratur

Baumgart, Reinhard: Ein gelassenes Programm. Auszüge aus der
           Rede zur Verleihung des diesjährigen Büchner-
           Preises an Uwe Johnson. In: "Die Zeit" v. 29. 10.
           1971.

Ders.: Statt eines Nachworts: Johnsons Voraussetzungen. Anhang
           zu: Über Uwe Johnson, hrsg. v. Reinhard Baumgart,
           2. Aufl., Frankfurt 1970.

Bauschinger, Sigrid: Mythos Manhattan. Faszination einer
           Stadt. In: Amerika in der deutschen Literatur,
           Hrsg. v. Sigrid Bauschinger u.a. Stuttgart 1973.

Bosch, Manfred/Konjetzky, Klaus: Für wen schreibt der eigent-
           lich? Gespräche mit lesenden Arbeitern. Autoren
           nehmen Stellung. München 1973.

Blöcker, Günter: Uwe Johnson, Jahrestage 3 (Deutschlandfunk,
           16. 12. 1973, Manuskript).

Bohrer, Karl-Heinz: Eine lakonische Studie über Tyrannei. In:
           "Frankfurter Allgemeine Zeitung" v. 22. 9. 1970.

Durzak, Manfred: Der deutsche Roman der Gegenwart, 2. Aufl.,
           Stuttgart u.a. 1973. (Darin: Wirklichkeitserkun-
           dung und Utopie. Die Romane Uwe Johnsons.)

Ders.: Gespräche über den Roman. Formbestimmungen und Analysen.
           Frankfurt/M. 1976. (Darin: Dieser langsame Weg zu
           einer größeren Genauigkeit. Gespräch mit Uwe John-
           son.).

Fahlke, Eberhard: "Gute Nacht, New York – Gute Nacht, Berlin."
          Anmerkungen zu einer Figur des Protestierens an-
          hand der "Jahrestage" von Uwe Johnson. In: Litera-
          tur und Studentenbewegung. Eine Zwischenbilanz.
          (Lesen 6). Hrsg. v. W. Martin Lüdke, Opladen 1977.

Iser, Wolfgang: Die Appellstruktur der Texte. Unbestimmtheit
          als Wirkungsbedingung literarischer Texte. In:
          Rainer Warning (Hrsg.): Rezeptionsästhetik. Theo-
          rie und Praxis. München 1975.

Johnson, Uwe: Über eine Haltung des Protestierens. In: Kurs-
          buch 9, Hrsg. v. H.M. Enzensberger, Frankfurt/M.
          1967.

Ders.: Versuch, eine Mentalität zu erklären. Nachwort zu: Bar-
          bara Grunert-Bronnen: Ich bin Bürger der DDR und
          lebe in der Bundesrepublik, München 1970.

Ders.: Büchner-Preis-Rede 1971. In: Büchner-Preis-Reden 1951-
          1971. Stuttgart 1972.

Ders.: Vorschläge zur Prüfung eines Romans. In: Romantheorie.
          Dokumentation ihrer Geschichte in Deutschland seit
          1880. Hrsg. v. Eberhard Lämmert u.a. Köln 1975.

Mandelkow, Karl Robert: Rezeptionsästhetik und marxistische
          Literaturtheorie. In: Historizität in Sprach- und
          Literaturwissenschaft. Vorträge und Berichte des
          Stuttgarter Germanistentages 1972. Hrsg. v.
          W. Müller-Seidel, München 1974.

Michaelis, Rolf: Uwe Johnson: Jahrestage. (In: 100 Bücher
          der "Zeit"). "Die Zeit" v. 1.6.1979.

Mlynar, Zdenek: Nachtfrost. Erfahrungen auf dem Weg vom realen
          zum menschlichen Sozialismus. Köln 1978.

Neumann, Bernd: Uwe Johnsons "Mutmaßungen über Jakob": Die
          "nicht-aristotelisch" Gestaltung einer konkreten
          Utopie. In: Der deutsche Roman im 20. Jahrhundert,
          Bd. 2 Analysen und Materialien zur Theorie und
          Soziologie des Romans, Hrsg. v. Manfred Brauneck,
          Bamberg 1976.

Popp, Hansjürgen: Einführung in Uwe Johnsons Roman "Mutmaßun-
          gen über Jakob". Beiheft 1 zu "Der Deutschunter-
          richt". Stuttgart 1967.

Riedler, Rudolf: Gespräch mit Johannes Mario Simmel. In: Hel-
          mut Popp (Hrsg.): Der Bestseller. München 1975.

Romantheorie. Dokumentation ihrer Geschichte in Deutschland
          seit 1880, Hrsg. v. Eberhard Lämmert u.a. Köln 1971.

Stan<u>zel</u>, Franz: Typische Formen des Romans. 8. Aufl., Göttin-
          gen 1964.

<u>Szondi</u>, Peter: Theorie des modernen Dramas (1880-1950).
          8. Aufl., Frankfurt/M. 1971.

<u>Weber</u>, Max: Die 'Objektivität' sozialwissenschaftlicher Er-
          kenntnis. In: M.W.: Soziologie. Weltgeschichtli-
          che Analysen. Politik. Stuttgart 1956.

<u>Weinrich</u>, Harald: Tempus. Besprochene und erzählte Welt. Stutt-
          gart 1964.

<u>Zimmer</u>, Dieter E.: Eine Bewußtseinsinventur. Interview mit
          Uwe Johnson. In: "Die Zeit" v. 26. 11. 1971.